Lendo Filipenses

Lendo Filipenses
Um comentário para hoje

ANTÔNIO CARLOS COSTA

MUNDO CRISTÃO

Copyright © 2022 por Antônio Carlos Costa

Os textos bíblicos foram extraídos da *Nova Almeida Atualizada* (NAA)©, da Sociedade Bíblica do Brasil, 2017. Usado com permissão. (www.sbb.org.br)

Todos os direitos reservados e protegidos pela Lei 9.610, de 19/02/1998.

É expressamente proibida a reprodução total ou parcial deste livro, por quaisquer meios (eletrônicos, mecânicos, fotográficos, gravação e outros), sem prévia autorização, por escrito, da editora.

CIP-Brasil. Catalogação na publicação
Sindicato Nacional dos Editores de Livros, RJ

C87L

    Costa, Antônio Carlos
        Lendo Filipenses: um comentário para hoje / Antônio Carlos Costa. - 1. ed. - São Paulo: Mundo Cristão, 2022.

        ISBN 978-65-5988-058-4

        1. Bíblia. N.T. Filipenses - Leitura. 2. Bíblia. N.T. Filipenses - Crítica, interpretação, etc. 3. Bíblia. N.T. Filipenses - Comentários. I. Título.

21-74925   CDD: 227.6
                                                           CDU: 27-248.54

Camila Donis Hartmann - Bibliotecária - CRB-7/6472

Edição
Denis Timm

Revisão
Natália Custódio

Produção e diagramação
Felipe Marques

Colaboração
Ana Luiza Ferreira
Marina Timm

Capa
Jonatas Belan

Publicado no Brasil com todos os direitos reservados por:
Editora Mundo Cristão
Rua Antônio Carlos Tacconi, 69
São Paulo, SP, Brasil
CEP 04810-020
Telefone: (11) 2127-4147
www.mundocristao.com.br

Categoria: Comentário
1ª edição: março de 2022

SUMÁRIO

Dedicatória	7
Introdução	9
Contexto da Carta aos Filipenses	11
Filipenses 1	23
Filipenses 2	73
Filipenses 3	111
Filipenses 4	145
Bibliografia	175

DEDICATÓRIA

Dedico este comentário bíblico ao meu amigo Téo Elias, engenheiro e pastor da Igreja Presbiteriana Betânia, em Niterói. Já disse a ele que Deus decretou usá-lo para me abençoar.

Quando tive meu encontro com Cristo em 1982, ano do seu casamento com a estimadíssima Mônica Elias, ele me chamou para conversarmos e orarmos na sua casa. Logo cedo, tornou-se a minha maior referência de santidade de vida.

Uma decisão sua foi de especial importância para a escolha de me dedicar ao ministério pastoral. Eu me encontrava ainda no meu primeiro ano de conversão, quando me fez o convite para dirigir um grupo pequeno da igreja, que haveria de funcionar na praia de Icaraí, na casa dos pais do Aulino, amigo precioso daqueles anos iniciais de contato com os cristãos. Naquele pequeno trabalho de evangelização, descobri que havia recebido graça para pregar o evangelho.

Durante o meu período de seminário teológico, ele foi meu tutor eclesiástico. Naqueles anos, não foram poucas as ocasiões nas quais o procurei em busca de conselho. Em razão da amizade profunda, convidei-o para que oficiasse minha cerimônia de casamento. Antes disso, ele havia me enviado para plantar uma igreja no Rio, no ano de 1987, que resultou na plantação da Igreja Presbiteriana da Barra, à qual servi por 35 anos.

Aprouve a Deus que ele pregasse no culto de minha ordenação. Lembro-me até hoje do conteúdo da oração que fez por mim, na qual pediu a Deus que eu fosse protegido de três pecados que costumam arruinar a vida de ministros do evangelho. Julgo que não preciso mencionar quem eu convidei para falar nas minhas bodas de prata.

No seu retorno ao pastorado titular da Igreja Betânia, mês a mês me concedeu a honra de ocupar o púlpito da igreja na qual conheci a Cristo e fui batizado. Vieram os conturbados anos de 2018 a 2021. Julguei que deveria protestar publicamente contra a aliança que setores inteiros do protestantismo brasileiro fizeram com um projeto de poder político que, no meu entender, é na essência contrário a alguns dos valores basilares da fé cristã. Percebi que a glória do evangelho estava em jogo e que Deus me chamava para ficar ao lado do evangelho e contra grande parte da igreja.

Não fui poupado de ataques severos. Os mais impiedosos partiram de dentro das igrejas evangélicas do país, muitos dos quais feitos por pastores. Portas se fecharam. Tornei-me objeto de ódio e contenda. Pessoas passaram a não querer ter seus nomes associados ao meu.

Téo tomou as seguintes decisões em relação a mim: a primeira, não cessar de ligar a fim de saber como eu estava. Temos mantido longas conversas em sua casa e por telefone. Ele também me manteve no púlpito da Betânia, não deixando de manter-se publicamente associado a mim. Vale ressaltar um ponto: jamais pautou a minha pregação. Sempre tive total liberdade para dizer o que penso.

Como se não bastasse isso, ele escreveu duas mensagens em minha defesa nas redes sociais, como expressão do seu amor e zelo por quem, ao ser atingido, fazia com que se sentisse também atingido. Mais recentemente, em plena pandemia, ele solicitou que desse início a uma série de pregações sobre um livro das Escrituras nas noites de segunda-feira no púlpito da igreja, com transmissão pelo *YouTube*. Ele solicitou Romanos. Pedi mais tempo e cabelos brancos para tratar da carta mais importante do apóstolo Paulo. Sugeri Filipenses. Desse convite, surgiu este meu primeiro comentário bíblico.

Como deixar de ser grato a quem tanto fez pela minha vida? Creio que o seu pai, meu eterno amigo e pai espiritual, reverendo Antonio Elias, se estivesse entre nós, se alegraria ao ver a nossa amizade e o que Deus tem feito por meio de nossas vidas. Uma vez ele me confidenciou que gostaria de ver o Téo e eu trabalhando juntos.

INTRODUÇÃO

Por que estudar a Carta aos Filipenses?

A Carta aos Filipenses faz parte do conjunto de livros que compõem o Novo Testamento. Nós cristãos os consideramos inspirados por Deus. A estima que temos por eles é proporcional ao encanto pela sua beleza, capacidade de comunicar consolação, resposta para as questões mais importantes da vida, apresentação do plano divino para a redenção dos seres humanos e revelação do ser e dos atributos do Deus que se revelou em Cristo. Quando os lemos, sentimos um poder que nenhum outro tipo de literatura é capaz de exercer sobre o nosso espírito. Sua majestade leva-nos a atribuir sua origem ao próprio Deus.

Apesar de crermos que todos os livros do Novo Testamento foram inspirados por Deus, reconhecemos que nem todos os versos, capítulos e livros têm o mesmo valor. Há níveis de excelência perfeitamente perceptíveis para os que tiveram suas faculdades espirituais desenvolvidas pela graça divina. Nesse sentido, a Carta aos Filipenses ocupa um dos mais altos postos da hierarquia da verdade revelada. Martyn Lloyd-Jones a considerava "a mais lírica, a mais feliz, carta escrita pelo apóstolo Paulo".[1] Como declara Alfred Plummer no seu comentário sobre a carta:

> A Epístola aos Filipenses tem recebido um número de epítetos descritivos. Ela tem sido chamada de "a Epístola da Alegria", "a Epístola do Amor", "a Epístola da Humildade", "a mais bela de todas as epístolas paulinas", "a mais comovente", "a mais feliz", "a reflexão mais nobre do caráter de São Paulo e da sua iluminação espiritual", "o mais atrativo quadro no Novo Testamento da vida cristã e da igreja cristã", "a carta-amor" entre as epístolas paulinas, "o testamento do apóstolo e a mais epistolar de todas as epístolas".[2]

James Boice afirma: "Alguns dos mais amáveis versos da Bíblia são encontrados nesse livro".[3] F. B. Meyer também reconhece a importância que deve ser dada à carta: "Parece-me que esse livro da Bíblia, mais do que

---

[1] Martyn LLOYD-JONES, *The Life of Joy and Peace: An Exposition of Phillipians*, p. 9.
[2] Alfred PLUMMER, *A Commentary on Saint Paul's Epistle to the Philippians*, p. 15-16.
[3] James BOICE, *Philippians: An Expositional Commentary*, p. 14.

nenhum outro, contém em essência toda a gloriosa mensagem que me foi confiada".[4]

Há mais um motivo, não vejo como não o destacar, para nos dedicarmos ao estudo de Filipenses: o seu autor. Sabemos que, em última análise, a carta deve ser considerada revelação divina, contudo, comunicada por meio da personalidade de um homem extraordinário, cujos escritos estão por trás do que temos de melhor na formação do mundo ocidental: o apóstolo Paulo. Entender isso — sua forma de pensar, o conteúdo de sua mensagem, os temas que mais o atraíam, sua capacidade de relacionar mente e coração, suas experiências místicas associadas ao raciocínio lógico, seus pressupostos teológicos para a prática do cristianismo — tem sido a experiência mais libertadora da minha vida.

---

[4] F. B. MEYER, *Ciudadanos del Cielo*, p. 8.

CONTEXTO DA CARTA AOS FILIPENSES

Conhecer a história da igreja de Filipos ajuda-nos a compreender melhor sua mensagem. Antes de analisarmos o conteúdo da epístola, julgo importante que conheçamos fatos referentes ao contexto da sua redação e relato da plantação dessa comunidade cristã no primeiro século.

Local onde a carta foi escrita

Filipenses faz parte do conjunto de cartas chamadas de "cartas da prisão": Colossenses, Filemom, Efésios e Filipenses. Paulo passou por quatro prisões: Filipos (At 16.23-40), Jerusalém (At 21.33; 23.30), Cesareia (At 23.35; 26.32) e Roma (At 28.16-31). Certamente, o apóstolo Paulo escreveu a Carta aos Filipenses quando estava em Roma, a fim de que fosse encaminhada à igreja por Timóteo (Fp 2.19,24).

Objetivo da carta

Qual o propósito da carta? Epafrodito havia ido a Roma a fim de expressar solidariedade ao apóstolo Paulo e passar às suas mãos um donativo. Nesse encontro, falou sobre o estado da igreja de Filipos. Paulo desejava, com base nas informações recebidas e no gesto de amor solidário, dar direção espiritual, comunicar alegria e expressar sua gratidão.

Os temas dessa carta, nos lembra Martyn Lloyd-Jones, são "como triunfar sobre as circunstâncias e como viver feliz e harmoniosamente juntos". Todo o conforto que o apóstolo Paulo dá é baseado em doutrina, e sem doutrina ele realmente não tem nenhuma consolação para dar a esse povo.[1]

Na Carta aos Filipenses, percebe-se o modo cristão de lidar com os problemas da vida. Tudo o que possa ser dito sobre a vida cristã tem como base a verdade revelada. É notório o ceticismo quanto à possibilidade de o ser humano lidar de modo efetivo com as circunstâncias adversas da sua existência sem o fundamento inabalável da fé.

---

[1] Martyn LLOYD-JONES, *The Life of Joy and Peace: An Exposition of Phillipians*, p. 16.

Origem da cidade de Filipos

A cidade, uma colônia romana, fundada em 356 a.C., leva o nome de Filipe II, pai de Alexandre, o Grande. William Hendriksen faz uma importante análise teológica das façanhas políticas, militares e conquistas territoriais de ambos os imperadores:

> Inestimáveis consequências são derivadas dessa conquista. Costuma-se dizer com verdade que se Felipe e Alexandre não tivessem chegado até o Leste, Paulo e o evangelho que ele proclamava nunca teriam passado ao Oeste, pois foram esses conquistadores que criaram um mundo de fala helênica, tornando possível com isso a difusão do evangelho a muitas regiões.[2]

Filipos foi transformada em colônia do Império Romano no ano de 42 a.C., pelos líderes romanos Antonio e Otaviano, após obterem vitória ali sobre Bruto e Cássio, os assassinos de Júlio César.[3]

A cidade estava situada no interior a uns 15 quilômetros do Golfo de Neápolis (hoje Kolpos Kavallas), ao noroeste da ilha de Tasos, no mar Egeu. Seus habitantes eram predominantemente romanos. Em razão da sua cidadania, usufruiam os mesmos direitos que qualquer outro cidadão do império, tais como estar isentos de ser açoitados, não poder ser presos (salvo em casos extremos) e o direito de apelar ao imperador. Todos tinham os seus nomes registrados nos arquivos de Roma. A influência da cultura da capital do império era profunda em Filipos.

À toda cidade foi outorgada a *Jus Italicum*, de maneira que os seus habitantes usufruiam não só de privilégios econômicos, tais como a isenção de imposto e o direito de adquirir, conservar ou transferir propriedades, mas também de vantagens políticas, como a de ser independentes da autoridade do governador da província e o direito e a responsabilidade de serem regidos por si mesmos nos assuntos civis.[4]

A plantação da igreja de Filipos

> **Atos 16.6-7:** *E percorreram a região frígio-gálata, tendo sido impedidos pelo Espírito Santo de pregar a palavra na província da Ásia. Chegando perto de Mísia, tentaram ir para Bitínia, mas o Espírito de Jesus não o permitiu.*

---

[2] William HENDRIKSEN, *Filipenses: Comentario del Nuevo Testamento*, p. 11.
[3] F. F. BRUCE, *Novo Comentário Bíblico: Filipenses*, p. 12.
[4] Idem, p. 13.

A plantação da igreja de Filipos começou com um soberano impedimento do Espírito Santo, que revelou aos missionários cristãos que eles não deveriam se dirigir para a Ásia, mas sim para a Europa. Essa é uma das passagens reveladoras do governo supremo e providencial de Deus na salvação dos seres humanos. Deus decretou que o evangelho seria proclamado em uma região em vez de outra. Deus amou Filipos e decidiu salvar seus habitantes. A história da humanidade seria marcada para sempre por essa imperiosa direção do Espírito de Cristo.

O relato de Lucas não revela como se deu esse impedimento. Foi mediante profecia? Ocorreu por meio de uma pressão exercida sobre o espírito dos discípulos? Eles receberam uma visão? De qualquer modo, fica essa lição para os envolvidos com a obra missionária: Deus, de modo absolutamente independente, abre e fecha portas missionárias. Que saibamos celebrar a esfera ministerial que o Espírito Santo designou para nossa vida. A sujeição sem ressentimento aos propósitos do Senhor da seara permite que marquemos a história de forma inimaginável, pois Deus honra a quem, pela fé, submete seu trabalho à direção divina e abençoa o que determinou abençoar.

Somos remetidos, por essa informação sobre os bastidores da evangelização do continente europeu, para um mundo que não se encaixa na mentalidade das igrejas geridas de modo empresarial. O que garante o êxito no trabalho de expansão do reino de Cristo não cabe nos cálculos meticulosos dos tecnocratas da fé. Quantas igrejas são guiadas na base da clara orientação do Espírito Santo, direção que nos contraria, nos faz rever planejamentos e a todos surpreende? Talvez alguém possa dizer: "Mas isso é muito subjetivo". Não é. O Espírito Santo existe, a comunicação entre Deus e a sua igreja é real e o dono do campo missionário é Deus.

Algo esteve em curso antes da chegada do evangelho a Filipos. Uma conspiração cósmica trabalhava em favor da redenção de homens e mulheres cujos nomes Deus conhecia muito bem. Que desencadeamento de atos soberanos!

> **Atos 16.8-9:** *E, tendo contornado Mísia, foram a Trôade. À noite, Paulo teve uma visão na qual um homem da Macedônia estava em pé e lhe rogava, dizendo: "Passe à Macedônia e ajude-nos".*

Essa é uma das cenas mais pungentes da história da obra missionária. Quem começou a obra de redenção dos moradores de Filipos foi o próprio Deus.

Como tudo transcorreu? Paulo viu um homem clamando por socorro. Identificou uma espécie de ser humano. Divisou sua língua, cultura e etnia.

Uma compaixão específica e direcionada foi forjada na sua alma. Ele passou a se compadecer especialmente de alguém. Não há nada, abaixo do zelo pela glória de Deus, mais capaz de galvanizar o compromisso com a obra missionária do que a compaixão pelos perdidos dentre os perdidos por cujas vidas o Espírito Santo despertou piedade em nosso coração, movendo-nos assim a ansiar por proclamar-lhes o evangelho.

Deus mostrou a Paulo uma visão tocante. Um ser humano clamando por solidariedade e auxílio. Ele é visto de pé. Há urgência no seu apelo. Ele deve ser atendido imediatamente. Havia um pedido que somente os cristãos poderiam atender. O mais comovente nessa visão é o fato de Deus ser revelado como quem entende as necessidades dos filipenses melhor do que eles mesmos. O varão macedônio pede algo que o europeu ignorava. Toda conversão é resultado da compaixão ativa de Deus. A história da entrada do evangelho na Europa nos ajuda a entender Filipenses 1.6: "Estou certo de que aquele que começou boa obra em vocês há de completá-la até o Dia de Cristo Jesus".

> **ATOS 16.10**: *Assim que Paulo teve a visão, imediatamente procuramos partir para aquele destino, concluindo que Deus nos havia chamado para lhes anunciar o evangelho.*

O impedimento veio acompanhado de uma visão. A ela seguiu-se um gesto de obediência. O que vemos aqui é cena análoga a de Jesus no mar da Galileia mostrando aos seus discípulos o lugar onde deveriam lançar as redes. Não havia como os missionários fracassarem. A soberania de Deus na salvação dos seres humanos é o motivo principal da esperança de êxito dos missionários cristãos. Quando Deus decide salvar o homem, não há barreiras que os pregadores do evangelho não possam romper.

Eles foram chamados para pregar o evangelho no continente europeu. Sua meta, portanto, não era a reforma dos costumes. Eles estavam certos de que a maior necessidade do pagão europeu era a de reconciliação com Deus. Os missionários foram para a Europa para pregar o evangelho, em vez de pregar moralidade, filosofia ou ideologia política. O que tivesse de surgir de transformador na ética, filosofia e vida política do povo europeu seria consequência da entrada do evangelho em seu continente. Por obedecerem a Deus, pregando o evangelho, a primeira geração de missionários mudou o destino da humanidade.

> **Atos 16.11-12:** *Tendo, pois, navegado de Trôade, fomos diretamente para Samotrácia e, no dia seguinte, a Neápolis. Dali fomos a Filipos, cidade da Macedônia, primeira do distrito e colônia romana. Nesta cidade, permanecemos alguns dias.*

Por que Filipos? O fato de ali haver cidadãos romanos, sem sombra de dúvida, foi uma das razões. Havia muitos soldados que receberam terras como recompensa pelos seus feitos. Outra razão é de natureza geográfica. A Via Egnácia, a principal estrada entre o Oeste e o Leste, passava por Filipos, dividindo a cidade em duas partes. Não podemos subestimar a presença de judeus em Filipos. Os missionários do início da era cristã entendiam que deveriam pregar primeiro aos judeus (At 13.46-47; 18.6; 28.28).[5] Filipos foi a primeira cidade na qual o evangelho de Jesus Cristo foi pregado no continente europeu. Essa obra estupenda de plantação de igreja foi levada a cabo na segunda viagem missionária de Paulo, entre os anos 50-51 e 53-54 d.C. Filipos, portanto, era estratégica sob os pontos de vista político, econômico e geográfico.

> **Atos 16.15:** *No sábado, saímos da cidade para a beira do rio, onde nos pareceu haver um lugar de oração; e, assentando-nos, falamos às mulheres que haviam se reunido ali. Certa mulher, chamada Lídia, da cidade de Tiatira, vendedora de púrpura, temente a Deus, nos escutava; o Senhor lhe abriu o coração para que estivesse atenta ao que Paulo dizia. Depois de ser batizada, ela e toda a sua casa, nos fez este pedido: "Se julgam que eu sou fiel ao Senhor, venham ficar na minha casa". E nos constrangeu a isso.*

Paulo se dirige para um lugar estratégico, no qual havia pessoas que temiam a Deus. Por não terem uma sinagoga para congregar, usavam a beira de um rio para a realização dos seus cultos. A evangelização do continente que mais contribuiu para a evangelização do mundo em toda a história do cristianismo começou com um grupo de mulheres. À luz dessa passagem, podemos afirmar, sem receio, que negligenciar o trabalho feminino é teologicamente condenável.

Entre as mulheres para as quais os missionários anunciaram o evangelho, havia uma de nome Lídia. Sua conversão é uma das mais importantes da história do cristianismo. Lídia, natural da cidade de Tiatira, era vendedora de roupas tingidas de púrpura, uma tintura fabricada com o sumo da raiz da

---

[5] Alfred PLUMMER, *A Commentary on Saint Paul's Epistle to the Philippians*, p. 7.

ruiva-dos-tintureiros, pela qual a cidade há muito se tornara famosa. Lídia era pagã convertida ao judaísmo.

A plantação da igreja de Filipos revela que Deus é soberano na escolha de continentes, países, cidades e pessoas que terão seus olhos abertos para a revelação da glória de Deus na face de Cristo. A descrição da conversão de Lídia o revela com profunda clareza: *o Senhor lhe abriu o coração para que estivesse atenta ao que Paulo dizia*. A regeneração antecede a conversão.

A ordenança do batismo é vista como parte integrante da atividade missionária desde o inicio da era cristã. Lídia foi imediatamente batizada, formalizando assim a sua união com Cristo. Mas não apenas ela. A graça divina é graça que salva famílias inteiras, por isso toda a sua casa foi redimida e batizada.

Paulo, certamente, havia falado da fidelidade a Deus como sinal por excelência de novo nascimento, uma vez que ele chama os seres humanos para não apenas crer no evangelho, mas também viver em sujeição ao evangelho. Lídia entendia que, se os apóstolos já podiam perceber traços críveis de conversão e fidelidade em sua vida, que eles a honrassem se hospedando em sua casa: *Se julgam que eu sou fiel ao Senhor, venham ficar na minha casa.*

O fruto da hospitalidade foi um dos traços desse caráter transformado presente na vida de Lídia. Os missionários entenderam que ficar hospedados na sua casa não comprometeria seu trabalho em Filipos. Eles sabiam que seriam hospedados por uma mulher que não envergonharia o nome de Deus na cidade. A igreja nascia com as marcas da conversão autêntica, cujo fruto principal é o amor pelos irmãos na fé.

A precipitação no ato de considerar um ser humano salvo é uma das causas dos escândalos presentes na vida de tantas igrejas do Brasil. Quando a igreja é vista associada a quem não presta, chamando publicamente de irmão quem não evidencia as marcas da conversão autêntica, os que estão do lado de fora se escandalizam e os que estão do lado de dentro trivializam o sentido do novo nascimento. A decisão de escolher criteriosamente a quem se associar e o cuidado de só considerar santo quem desse testemunho crível de conversão eram, portanto, de suma importância para o sucesso da evangelização de Filipos e formação da vida espiritual dos seus convertidos.

Atos 16.16-18: *Aconteceu que, indo nós para o lugar de oração, veio ao nosso encontro uma jovem possuída de espírito adivinhador, a qual, adivinhando, dava grande lucro aos seus donos. Seguindo a Paulo e a nós, gritava, dizendo:*

> "Estes homens são servos do Deus Altíssimo e anunciam a vocês o caminho da salvação". Isto se repetiu por muitos dias. Então Paulo, já indignado, voltando-se, disse ao espírito: "Em nome de Jesus Cristo, eu ordeno que você saia dela". E, na mesma hora, o espírito saiu.

A plantação da igreja de Filipos foi levada a cabo em meio à batalha espiritual. Esse é um princípio que perpassa toda a Bíblia: a obra de Deus jamais avança sem forte oposição das forças das trevas. Para os que creem na inspiração das Escrituras, esse fato é indiscutível; contudo, aquilo para o que não atentamos são as espécies de ciladas postas no caminho da igreja quando essa avança com êxito nos seus empreendimentos missionários.

Pelo menos três armadilhas diabólicas podem ser identificadas nessa experiência dos missionários cristãos em Filipos. A primeira foi a tentativa de desqualificá-los, associando-os a quem não era digno. A segunda cilada tinha como objetivo desqualificar o evangelho por associá-lo a uma visão de mundo alheia à verdade revelada por Cristo. A terceira teve como meta arruinar o testemunho dos missionários, levando-os a se exasperarem com o comportamento da jovem, que não lhes dava trégua.

John Stott faz importante comentário sobre a cilada posta pelas trevas no caminho daqueles pregadores:

> Lucas nos conta duas coisas a seu respeito. Primeiro, ela era "possessa de espírito adivinhador", ou, literalmente, ela tinha "um espírito de píton". É uma referência à cobra da mitologia clássica que vigiava o tempo de Apolo e o oráculo de Delfos, no monte Parnasso. Pensava-se que Apolo se encarnava na cobra e inspirava as "pitonisas", suas devotas, dando-lhes clarividência, embora outras pessoas as considerassem ventríloquas. Lucas não se deixa levar por essas superstições, entendendo que a jovem escrava era possessa de um espírito mau. A segunda coisa que ele nos conta é que, sendo escrava, ela era explorada por seus donos, para os quais ganhava muito dinheiro adivinhando [...] mas, por que um demônio se engajaria na obra de evangelização? Talvez o motivo fosse desacreditar o evangelho, associando-o ao ocultismo, nas mentes das pessoas.[6]

Paulo usa de uma arma espiritual que não pode ser ensinada por nenhum manual de plantação de igreja: a autoridade para repreender espíritos malignos. A entrada da igreja numa localidade que se encontra sob o jugo do mal sempre encontrará oposição espiritual. Sem a compreensão de que a igreja dispõe desse recurso para fazer avançar a obra de Deus no mundo, a obra

---

[6] John STOTT, *A mensagem de Atos*, p. 297-298.

missionária será gravemente prejudicada. Na prática, isso é mais do que repreender a ação de espíritos maus na vida de pessoas, mas significa desenvolver uma mentalidade que faz a igreja avançar de modo desassombrado enquanto usa da autoridade que há no nome de Jesus para, assim, romper barreiras espirituais consideradas intransponíveis.

> **Atos 16.19-24**: *Quando os donos da jovem viram que se havia desfeito a esperança do lucro, agarraram Paulo e Silas e os arrastaram para a praça, à presença das autoridades. E, levando-os aos magistrados, disseram: "Estes homens, sendo judeus, perturbam a nossa cidade, propagando costumes que não podemos aceitar, nem praticar, porque somos romanos". Então a multidão se levantou unida contra eles, e os magistrados, rasgando-lhes as roupas, mandaram açoitá-los com varas. E, depois de lhes darem muitos açoites, os lançaram na prisão, ordenando ao carcereiro que os guardasse com toda a segurança. Este, recebendo tal ordem, levou-os para o cárcere interior e prendeu os pés deles no tronco.*

A vitória no campo da batalha espiritual pura e simples nem sempre significará o fim da batalha espiritual que é travada com os detentores do poder econômico e político. O inferno tem seus agentes neste mundo.

Uma das consequências práticas da pregação do evangelho que mais atrai a oposição do mundo é a interferência econômica. Os homens serão capazes de suportar muitos inconvenientes no comportamento dos cristãos; o prejuízo financeiro, entretanto, está entre aqueles danos considerados intoleráveis. Por isso, Paulo e Silas são arrastados à praça da cidade a fim de serem apresentados às autoridades públicas. Uma acusação é feita: *Estes homens, sendo judeus, perturbam a nossa cidade, propagando costumes que não podemos aceitar, nem praticar, porque somos romanos*. Tratava-se de algo grave. Paulo e Silas estavam sendo acusados de pregar a insurreição, a desobediência civil e a ação subversiva que minava a autoridade política de Roma em Filipos. Podemos estar certos a respeito de outro modo de o reino das trevas se levantar contra os ministros da Palavra: quando as hostes do inferno não fazem cair em pecado os pregadores do evangelho, levantam caluniadores para arruinar a sua credibilidade.

Um alvoroço foi criado. Estabeleceu-se um fenômeno psicológico de massa, capaz de silenciar todo diálogo produtivo. A multidão grita pedindo a condenação imediata dos forasteiros cristãos. Paulo e Silas têm suas vestes rasgadas e são submetidos a uma sessão de tortura. Em seguida, são lançados numa prisão.

Nessas horas, não podemos duvidar do varão macedônio. Ser levados a crer que a visão nos enganou será fatal. É grande a tentação de não vermos sentido em nada. Os missionários são desviados da rota que haviam anteriormente traçado a fim de serem remetidos para o caos social, o sofrimento físico e a perda da liberdade. Ninguém se envolve com a obra missionária impunemente. Mas há graça nessas provações infernais. Essas mesmas tribulações estabelecem a oportunidade de pregarmos com a nossa vida, deixando atrás de nós a lembrança não apenas da palavra, mas também do exemplo.

> **Atos 16.25-26:** *Por volta da meia-noite, Paulo e Silas oravam e cantavam louvores a Deus, e os demais companheiros de prisão escutavam. De repente, sobreveio tamanho terremoto, que sacudiu os alicerces da prisão; todas as portas se abriram e as correntes de todos os presos se soltaram.*

As lutas travadas em Filipos deram ensejo a que Paulo e Silas exibissem os efeitos da fé em Cristo no espírito humano. Eles são encontrados orando e adorando dentro da prisão. Não há nada que mais impressione o não cristão do que a percepção de quanto o cristianismo é capaz de fazer os homens viverem acima das circunstâncias da vida. Esse testemunho, mais adiante, habilitou o apóstolo Paulo a declarar com autoridade para os próprios filipenses:

> Digo isto, não porque esteja necessitado, porque aprendi a viver contente em toda e qualquer situação. Sei o que é passar necessidade e sei também o que é ter em abundância; aprendi o segredo de toda e qualquer circunstância, tanto de estar alimentado como de ter fome, tanto de ter em abundância como de passar necessidade. Tudo posso naquele que me fortalece.
>
> Filipenses 4.11-13

O mundo no qual habitamos não está sujeito apenas à ação de espíritos malignos. Acima deles, regendo soberanamente o cosmos, está o Deus vivo revelado por Cristo. Essa é a razão do modo surpreendente mediante o qual Paulo e Silas foram libertos da prisão. Se não crermos nessas intervenções sobrenaturais, o colapso emocional no exercício do ministério cristão é inevitável.

Lembro-me de um ato público que realizamos no Rio de Janeiro em memória dos mortos pela Covid-19 e protesto contra os erros do Governo Federal na condução da pandemia. A ideia era espalharmos 30 macas em frente ao hospital Ronaldo Gazzola, na zona norte do Rio, referência no atendimento aos doentes. Perante os olhos dos meios de comunicação brasileiros e agências internacionais de notícia, subitamente um vento forte derrubou todas as macas, tornando impossível a realização da manifestação. Enquanto via a cena, e esforçava-me para reconstruir o que havia sido destruído, lembrava-me de uma promessa que carrego comigo desde o início das ações da ONG Rio de Paz, fundada em 2007. "Porque desde a antiguidade não se ouviu, nem com os ouvidos se percebeu, nem com os olhos se viu Deus além de ti, que trabalha para aquele que nele espera" (Is 64.4).

Pela infinita bondade de Deus, a promessa mais uma vez se cumpriu. Os próprios jornalistas e repórteres, vendo a nossa dificuldade, nos ajudaram a desmontá-las e dar a elas um novo formato, que nos permitiu realizar o ato público. As imagens correram o mundo.

> **Atos 16.27-34:** *O carcereiro despertou do sono e, vendo abertas as portas da prisão, puxando da espada, ia suicidar-se, pois pensou que os presos tinham fugido. Mas Paulo gritou bem alto: "Não faça nenhum mal a si mesmo! Estamos todos aqui". Então o carcereiro, tendo pedido uma luz, entrou correndo e, trêmulo, prostrou-se diante de Paulo e Silas. Depois, trazendo-os para fora, disse: "Senhores, que devo fazer para que seja salvo?". Eles responderam: "Creia no Senhor Jesus e você será salvo — você e toda a sua casa". E pregaram a palavra de Deus ao carcereiro e a todos os que faziam parte da casa dele. Naquela mesma hora da noite, cuidando deles, lavou-lhes as feridas dos açoites. Logo a seguir, ele e todos os membros da casa dele foram batizados. Então, levando-os para a sua própria casa, deu-lhes de comer; e, com todos os seus, manifestava grande alegria por ter crido em Deus.*

O carcereiro é acordado pelo barulho. Raciocina da seguinte forma: é melhor morrer a enfrentar as consequências pessoais dessa fuga ocorrida no meu plantão. Ele era provavelmente um soldado romano veterano que dedicava sua vida à prisão da cidade.

Paulo grita bem alto. Sua entonação de voz tinha de ser regulada pelo teor do que tinha a dizer. Tratava-se de evitar um suicídio. O carcereiro, profundamente perturbado, entra no cárcere. Prostra-se diante daqueles a quem havia açoitado. Ele passara a crer que estava perante gente especial. Paulo e Silas desviam o foco de si mesmos e fazem com que o carcereiro creia no Cristo sobre o qual os missionários cristãos já haviam pregado.

Ele entendeu que precisava de salvação. Toda igreja cuja mensagem não causa convicção de pecado nos homens erra gravemente no cumprimento da sua missão no mundo. Isso não é amor. É covardia que torna a pregação do evangelho incompreensível para quem julga que não precisa de salvação. Não há preocupação com a remoção de barreiras culturais à apresentação da fé cristã que justifique tamanho comprometimento de verdade basilar do cristianismo. O carcereiro, tomado de convicção de pecado, toma conhecimento da gloriosa doutrina da justificação pela fé.

Paulo e Silas levam o evangelho a toda família do carcereiro, agora tornado irmão em Cristo. Os frutos da conversão são manifestos imediatamente. O carcereiro cuida das feridas dos presos. Deixa-se, com todos os seus, ser batizado em nome do Pai, do Filho e do Espírito Santo. Recebe os cristãos, condenados pela justiça, em sua própria casa. Oferece-lhes comida. E transborda de alegria. Causa emoção saber que, ao ouvirem a leitura da Carta aos Filipenses, todos se lembraram dessa história ao tomarem conhecimento do versículo quatro do capítulo quatro: "Alegrem-se sempre no Senhor; outra vez digo: alegrem-se!".

> **ATOS 16.35-40:** *Quando amanheceu, os magistrados enviaram oficiais de justiça, com a seguinte ordem para o carcereiro: "Ponha aqueles homens em liberdade". Então o carcereiro comunicou isso a Paulo, dizendo: "Os magistrados ordenaram que vocês fossem postos em liberdade. Portanto, vocês podem sair. Vão em paz". Paulo, porém, lhes disse: "Sem ter havido processo formal contra nós, nos açoitaram publicamente e nos jogaram na cadeia, sendo nós cidadãos romanos. Querem agora nos mandar embora sem maior alarde? Nada disso! Pelo contrário, que eles venham e, pessoalmente, nos ponham em liberdade". Os oficiais de justiça comunicaram isso aos magistrados. Quando estes souberam que Paulo e Silas eram cidadãos romanos, ficaram com medo. Então foram até eles e lhes pediram desculpas; e, relaxando-lhes a prisão, pediram que se retirassem da cidade. Tendo saído da prisão, Paulo e Silas dirigiram-se para a casa de Lídia e, vendo os irmãos, os animaram. Depois partiram.*

Por algum motivo, a soltura de Paulo e Silas é decretada. O carcereiro anuncia a eles o "evangelho": a boa-nova de que estavam livres para partir. Que bela dramatização dos efeitos libertadores da mensagem de Cristo.

Paulo não aceita ser objeto de tão grave violação de direito. Toma, portanto, decisão importante, que marcaria a história subsequente do cristianismo. Ele exige ser tratado segundo a lei do império.

John Stott trata das consequências dessa decisão histórica:

> Uma grave injustiça havia sido cometida contra eles, pois, "de acordo com o texto da *lex Julia* [...], o cidadão romano não podia ser açoitado ou preso por um magistrado *adversus provocationem* ou por qualquer outra pessoa sob qualquer circunstância", muito menos sem julgamento nem condenação [...] ele queria compelir as autoridades a reconhecerem e cumprirem a tarefa que lhes fora dada

por Deus. Isso pode ter sido muito importante para a liberdade da igreja que ele deixou atrás de si.[7]

Filipos bancou a obra missionária de Paulo. Sua gratidão pela vida daquela igreja era imensa:

> Porque até quando eu estava em Tessalônica, por mais de uma vez vocês mandaram o bastante para as minhas necessidades.
>
> Filipenses 4.16

> E, estando entre vocês, ao passar privações, não me fiz pesado a ninguém; pois os irmãos, quando vieram da Macedônia, supriram o que me faltava.
>
> 2Coríntios 11.9

> Também, irmãos, queremos que estejam informados a respeito da graça de Deus que foi concedida às igrejas da Macedônia. Porque, no meio de muita prova de tribulação, manifestaram abundância de alegria, e a profunda pobreza deles transbordou em grande riqueza de generosidade. Porque posso testemunhar que, na medida de suas posses e mesmo acima delas, eles contribuíram de forma voluntária, pedindo-nos, com insistência, a graça de participarem dessa assistência aos santos. E não somente fizeram como nós esperávamos, mas, pela vontade de Deus, deram a si mesmos, primeiro ao Senhor, depois a nós.
>
> 2Coríntios 8.1-5

Essa é uma das razões pelas quais a Carta aos Filipenses é a carta da alegria indizível e do amor repleto de gratidão a Deus e aos irmãos na fé.

---

[7] John STOTT, *A mensagem de Atos*, p. 301-302.

FILIPENSES 1

1.1 *Paulo e Timóteo, servos de Cristo Jesus, a todos os santos em Cristo Jesus, inclusive bispos e diáconos que vivem em Filipos.*

Aqui nos deparamos com uma descrição do funcionamento das igrejas do primeiro século. Sendo assim, estamos perante uma eclesiologia que serve de vetor para as igrejas de todas as eras. Seguir esse ideal representará sempre termos no mundo, pela graça divina, igrejas que promovem a felicidade humana, encantam pela sua forma de viver, contribuem para a santificação dos seus membros e dão impulso ao reino de Cristo. É possível a igreja ser o que deve ser. Por essa igreja devemos lutar. A igreja é viável. A Bíblia o declara e a história o prova.

Se somos cristãos, a igreja fará sempre parte da nossa vida. Se a igreja sempre fará parte da nossa vida, então busquemos saber, à luz do Novo Testamento, o que nos cabe fazer para que ela não se transforme em motivo de desencanto. Os cristãos sofrem por causa das imperfeições da igreja. Devem a vida a ela, encontram em seu seio pessoas que foram e são importantes em sua vida, guardam lembranças eternas dos inconfundíveis benefícios auferidos por meio dela. A forma que a igreja muitas vezes assume, entretanto, tem levado número incontável de cristãos às mais intensas crises espirituais, acarretadoras de profundos desgastes emocionais. É devastador dizer para algo que marcou tão profundamente nossa vida: você hoje me faz adoecer. Estamos diante de uma questão central: quais são as marcas da verdadeira igreja?

COMUNIDADE DE VERDADEIROS AMIGOS. A primeira revelação que esse versículo faz do funcionamento das igrejas do início da era cristã é sobre a amizade entre Paulo e Timóteo. O apóstolo nos dá uma ideia da amizade entre os dois: "Dou graças a Deus [...] porque, sem cessar, lembro de você nas minhas orações, noite e dia. Lembro das suas lágrimas e estou ansioso por ver você, para que eu transborde de alegria. Lembro da sua fé sem fingimento, a mesma que, primeiramente, habitou em sua avó Loide e em sua mãe Eunice, e estou certo de que habita também em você" (2Tm 1.3-5). Eles se amavam. Eram amigos. Amizade frutífera, uma vez que Deus os uniu para compartilharem dos mesmos sonhos e por meio de cooperação mútua plantarem e nutrirem novas igrejas.

Quando a conversão é seguida de amizades verdadeiras e frutuosas, a igreja cumpre duas finalidades precípuas. A primeira é oferecer ao mundo uma prova sociológica do poder do evangelho. Ao olharem para o modo como os cristãos tratam uns aos outros, as pessoas serão levadas a dizer que somente Deus pode promover tamanha harmonia. E a segunda é que a demanda por relacionamentos reais produzida pela regeneração é suprida de modo extraordinário. Ter a vida restaurada à imagem de Deus sempre significará anelar por viver a vida que o Deus relacional revelado pelo Novo Testamento vive. O Pai ama o Filho e o Filho ama o Pai. Assim é Deus. Assim quereremos ser se tivermos nascido de novo. A igreja, com todas as suas imperfeições, foi designada por Deus para atender a essa demanda de companheirismo verdadeiro. Nossos melhores amigos podem e devem ser encontrados no seio do corpo de Cristo.

Este é um bom ponto de partida para avaliarmos a saúde de uma igreja local: podemos chamar essa igreja de uma comunidade de amigos? Nela encontramos interlocução? Temos com quem conversar sobre os temas mais importantes da nossa vida? A sua missão é levada a cabo por pessoas que se entendem, perdoam e amam?

Comunidade de servos de Cristo. Essa é uma das definições bíblicas centrais sobre o significado da palavra "igreja". O que é igreja? É uma comunidade composta por homens e mulheres que não pertencem mais a si mesmos. Não há verdadeira igreja sem que pessoas sejam encontradas focadas na ideia de fazerem a vontade de Cristo.

O que significa ser servo de Cristo? Significa submeter-se à vontade de Cristo revelada no seu evangelho. É evidente que essa vontade nem sempre coincidirá com a tradição de espiritualidade da igreja à qual pertencemos. Ser servo de Cristo representará sempre buscar satisfazer a Cristo antes de buscar atender às expectativas da igreja.

Ser servo de Cristo significa trabalhar para ele a partir da compreensão de que a vida de cada crente foi comprada por preço (1Co 3.23; 7.22). Quando dizemos que somos servos, portanto, estamos afirmando que a nossa vida pertence a Cristo, a quem devemos lealdade e serviço em gratidão. E isso jamais deve se resumir às atividades litúrgicas. Não há vida de serviço a Cristo onde não há amor a Deus e ao próximo. Onde esse amor estiver presente, ali o que foi tornado escravo será visto cuidando de quem carece da misericórdia humana. Se não servimos em amor a Deus e ao próximo, estamos trabalhando para qual divindade, buscando atingir quais metas, tornando melhor a vida de quem?

O que leva o ser humano a tomar a decisão de pertencer a alguém outro e viver para fazer a vontade daquele? Por que seguir alguém que pede de nós nada mais nada menos do que a nossa própria vida? O que faz com que sigamos alguém tão perigoso? Pense nos apóstolos. Para onde a decisão de seguir Cristo os levou? Quais caminhos tiveram de percorrer? Só existe uma explicação para a decisão dos cristãos de se tornarem escravos de Cristo: o cristão se sujeita a Cristo pelo encanto por Cristo, por ver beleza no cumprimento da vontade de Cristo e por saber ser racional servir a quem tanto o ama. Ele pode sofrer, mas verá beleza e sentido no seu sofrimento. Contudo, ele só escolheu ser escravo porque Deus escolheu redimi-lo, como nos lembra o doutor Russell P. Shedd:

> Antigamente, havia quatro maneiras pelas quais uma pessoa podia tornar-se escrava: (1) Podia-se ser escravo por nascer na família de escravos. Se os pais eram escravos, a pessoa automaticamente era escrava, e nada se podia fazer para evitar que isso acontecesse. (2) Podia-se ser escravo por conquistas. Quando o exército romano conquistava novas terras, o povo derrotado automaticamente se tornava escravo. Aqueles que não eram mortos ficavam sendo propriedades do estado romano e dos seus cidadãos. Foi assim que o Império Romano obteve mais de 50% de sua população composta de escravos durante o primeiro século quando Paulo estava escrevendo. (3) Podia-se ser escravo por compra em leilões de escravos... Um escravo comprado e depois liberto era um escravo "redimido". (4) Podia-se ser escravo por livre escolha. Se um senhor concordasse, um homem que tinha esperança de receber alimento, proteção e bons tratos, entregava-se voluntariamente a ele para ser seu escravo. Como Paulo e Timóteo tornaram-se escravos de Cristo? Por compra. 1Co 6.20 esclarece que todos os cristãos foram comprados por preço. E você realmente conhece a Deus, então você é escravo dele — não porque você quis sê-lo, nem porque nasceu na escravidão, ou foi tomado na batalha, mas sim porque você foi redimido por sangue precioso (Ef 1.7). Sim, você foi comprado do seu antigo dono, que era o "pecado".[1]

A linguagem é radical. Fala de uma espécie de relação trabalhista que foi condenada pelo processo civilizatório. Contudo, para os cristãos não há nada mais libertador do que ser escravo de Cristo: "Agora, porém, libertados do

---

[1] Russell P. SHEDD, *Alegrai-vos no Senhor: Uma exposição de Filipenses*, p. 14-15.

pecado, transformados em servos de Deus, o fruto que vocês colhem é para a santificação. E o fim, neste caso, é a vida eterna" (Rm 6.22).

William Hendriksen nos convida a conjecturar sobre o que passou pela cabeça do apóstolo Paulo ao chamar os cristãos de *servos de Cristo*:

> Não é de estranhar que ao observar a atitude servil dos soldados romanos que o guardavam nas suas prisões, e ao pensar no culto que a maioria dos cidadãos da colônia para a qual escrevia rendia ao imperador, Paulo se confortasse pelo fato de que o Ungido, o Salvador, era seu verdadeiro Dono, e não o imperador.[2]

No fundo, o cristão sabe que nesta vida estamos sempre trabalhando para alguém. Há um senhor ao qual sujeitamos nossas supostas livres escolhas. Ele pode ser alguém por quem nos apaixonamos, uma ideologia, um partido político, nossa profissão, o ideal de ser humano estabelecido pela cultura dentro da qual nascemos e vivemos.

A quem estamos servindo? Qual dos senhores que pedem o controle da nossa vida nos faz promessas que podem ser cumpridas e que se adaptam às nossas verdadeiras aspirações? Os cristãos foram escolhidos para ser servos de Cristo. Eles creem que, apesar de custoso, é belo, santo e emancipador servir a Jesus.

COMUNIDADE DOS SANTOS. A igreja é composta por pessoas que foram separadas do mundo para viver exclusivamente para Deus. Esse é um conceito fortemente presente no Antigo Testamento. Isso fica claro à luz de Êxodo 19.6: "E vocês serão para mim um reino de sacerdotes e uma nação santa. São estas as palavras que você falará aos filhos de Israel". Em Levítico 11.45, vemos a mesma ideia: "Eu sou o SENHOR, que os tirei da terra do Egito, para que eu seja o Deus de vocês; portanto, sejam santos, porque eu sou santo".

James Boice faz importante declaração sobre o significado de ser santo:

> Aquele que é santo no sentido bíblico lutará para ser santo, mas a sua santidade, seja ela pequena ou grande quanto possa ser, não o torna santo. Ele é santo porque foi separado por Deus [...]. Se você é cristão, Deus o separou. Davi foi um adúltero, mas perante Deus era santo. Porque Deus o separou para si.[3]

Israel, portanto, era nação santa por ter sido separada por Deus. Tratava-se de um povo que havia entrado numa relação pactual com o seu Criador.

---

[2] William HENDRIKSEN, *Filipenses: Comentario del Nuevo Testamento*, p. 57.
[3] James BOICE, *Philippians: An Expositional Commentary*, p. 23-24.

Houve uma separação. A identidade do povo e sua narrativa de vida foram construídas com base nesse fato: somos, dentre todos os povos da terra, nação que pertence a Deus. Por motivos óbvios, essa consagração deveria ganhar visibilidade pela formação de uma cultura de justiça, defesa de direito, exercício de misericórdia e fidelidade exclusiva ao único Deus. Contudo, quando Israel se nivelava ou até mesmo descia a padrões de comportamento inferiores aos das nações pagãs que o cercavam, quem havia pecado era o povo santo, que deixara de viver à altura de tamanho privilégio. Havia uma santidade posicional, vamos assim dizer, e um santidade factual. Como declara o próprio apóstolo Paulo: "E não pensemos que a palavra de Deus falhou. Porque nem todos os de Israel são, de fato, israelitas, nem por serem descendentes de Abraão são todos filhos" (Rm 9.6-7).

O que o Novo Testamento declara é que esse *status* e missão agora pertencem a um Israel internacional, composto por homens e mulheres das mais diferentes partes da terra, resgatados por Deus a fim de fazerem parte desse povo separado, cuja relação pactual com Deus deve culminar numa vida santa. Como afirma Gordon Fee: "separados pelo Espírito Santo para os propósitos de Deus e distinguidos como aqueles que manifestam seu caráter no mundo".[4]

F. B. Meyer foi muito feliz ao fazer o seguinte comentário sobre o sentido da palavra santo:

> Em Romanos 1.7 e 1Coríntios 1.2 lemos "chamados para ser santos", que significa não uma perfeição absoluta de caráter senão uma vocação do alto a fim de que fossem separados do mundo, separados pela cruz de Cristo e a unção do Espírito para o serviço sacrossanto de Deus [...]. O apóstolo não vacilou em denominar assim a homens e mulheres vivos e muito imperfeitos que ainda necessitam muita instrução e admoestação, com o que ensina que já eram santos no propósito de Deus e, por os colocar diante do ideal, procurava os estimular a merecer tal qualificativo.[5]

Quem é o santo, o separado que vive como separado? Aquele que ama. Ele não será encontrado apenas no templo em atitude de adoração, mas também será encontrado fora do templo em atitude de adoração. No templo ele adora com os lábios. Fora do templo ele adora com tudo o que tem e é. Observe a parábola do bom samaritano. Ele é encontrado na rua, curvado

---

[4] Gordon FEE. *Paul's Letter to the Philippians*, p. 65.
[5] F. B. MEYER, *Ciudadanos del Cielo*, p. 12.

no altar da vida, perante a santíssima presença de um ser humano moído e fragilizado. Cristo declara que ele agiu como um santo.

> Certo samaritano, que seguia o seu caminho, passou perto do homem e, vendo-o, compadeceu-se dele. E, aproximando-se, fez curativos nos ferimentos dele, aplicando-lhes óleo e vinho. Depois, colocou aquele homem sobre o seu próprio animal, levou-o para uma hospedaria e tratou dele. No dia seguinte, separou dois denários e os entregou ao hospedeiro, dizendo: "Cuide deste homem. E, se você gastar algo a mais, farei o reembolso quando eu voltar".
>
> Lucas 10.33-35

Temos de cuidar para não separarmos o conceito de santidade da prática ativa do bem. Numa cultura como a brasileira, tão marcada pelo desrespeito pela santidade da vida humana, precisamos enfatizar em todo o tempo que o santo evidencia sua ligação íntima com Cristo mediante o respeito pelo valor da vida de todo aquele que a providência divina põe em seu caminho. Em suma, o santo é aquele que revela os efeitos da graça que recria o ser humano à imagem de Deus.

Não há nada mais importante, contudo, do que dizer que o santo se parece com Cristo. É um imitador de Cristo. Um pequeno Cristo. Nada deve ser mais definidor da vida de um cristão do que a sua relação com o seu Senhor. Sua profissão, suas preferências políticas, sua classe social, sua formação acadêmica, sua herança cultural, nada disso pode, em hipótese alguma, ser mais definidor do seu caráter do que os efeitos do contato com o Cristo vivo. O apóstolo Pedro apresenta uma gloriosa síntese do real significado da vida santa: "Vocês, porém, são geração eleita, sacerdócio real, nação santa, povo de propriedade exclusiva de Deus, a fim de proclamar as virtudes daquele que os chamou das trevas para a sua maravilhosa luz" (1Pe 2.9).

Um policial cristão não pode ser mais policial do que cristão. Sua conduta não pode ser mais definida pela cultura da corporação do que pela influência exercida por Cristo. Ele não pode ser mais um entre os iguais. O mesmo vale para todas as demais profissões. O crente verdadeiro sempre terá independência de pensamento, regulada pelo evangelho, ainda que isso o faça sentir só entre os seus pares. O pastor, por exemplo, não pode ser mais batista, presbiteriano, metodista, pentecostal do que cristão.

Um cristão não pode ser mais progressista ou conservador do que cristão. É impossível que a igreja não tenha nada a dizer para ambas as correntes ideológicas. Progressistas e conservadores têm do que se arrepender. A santificação não visa tornar o cristão nem uma coisa nem outra. A meta do ensino não é empurrar o cristão na direção de uma linha ideológica ou outra. O objetivo é torná-lo a cada dia mais cristão. O cristão será visto conservando e desconstruindo. Lutando por igualdade e liberdade. Celebrando o êxito e protestando contra a desigualdade que impede o êxito. Se o pensador mais emblemático de ambos os lados da disputa ideológica disser a verdade, o cristão ficará do lado da verdade, ainda que tenha de reconhecer que ela saiu da boca de quem ele diverge.

A igreja, portanto, não pode jamais se tornar indistinguível do mundo. Em nome do que quer que seja, não podemos, insisto, em hipótese alguma, buscar eliminar a diferença entre o que separou sua vida para o louvor da graça do Criador e aquele que não o conhece. As metáforas do sal e da luz nos ensinam precisamente esta lição:

> Vocês são o sal da terra; ora, se o sal vier a ser insípido, como lhe restaurar o sabor? Para nada mais presta senão para, lançado fora, ser pisado pelos homens. Vocês são a luz do mundo. Não se pode esconder uma cidade situada no alto de um monte. Nem se acende uma lamparina para colocá-la debaixo de um cesto, mas num lugar adequado onde ilumina bem todos os que estão na casa. Assim brilhe também a luz de vocês diante dos outros, para que vejam as boas obras que vocês fazem e glorifiquem o Pai de vocês, que está nos céus.
>
> Mateus 5.13-16

Três benditas verdades emergem dessa espantosa declaração de Cristo: primeiro, há pessoas extraordinárias andando por este planeta. Elas nasceram de novo. São discípulas de Cristo. Em segundo lugar, é dito que essas pessoas vivem de modo bastante diferente do modo de viver dos demais seres humanos. A diferença entre o mundo e a igreja é flagrante. Por fim, uma bendita nota de esperança é deixada: a igreja pode mudar o mundo. O sal salga, a luz ilumina. Condição? Os cristãos serem quem são.

Quem entrar na igreja tem de se sentir num outro mundo. Ali tudo tem de ser amor, verdade, serviço, amizade, solidariedade, culto. A vida da igreja reflete os valores do evangelho: o modo como seus membros lidam com suas diferenças, a forma como tratam os que tropeçaram, a maneira de se relacionar com os irmãos despossuídos. Até a parte administrativa reflete a glória do evangelho.

A Carta aos Filipenses comunica encorajamento, esperança, paz, alegria. Mas há uma notícia nada boa que o apóstolo Paulo a todos comunica com transparência. Essa carta não tem nada a dizer ao que não crê. A felicidade que ela promete diz respeito apenas a um tipo de ser humano: o santo.

Conforme declara Martyn Lloyd-Jones na sua série de pregações sobre Filipenses: "Há um maravilhoso conforto e consolação nessa epístola, sim, mas isso é para os santos, para aquelas pessoas que estão conscientes de terem sido separadas".[6]

São gloriosos os privilégios que cercam a vida dos santos. Só eles conhecem o mistério.

COMUNIDADE ESTRUTURADA PARA O CUIDADO DOS POBRES E EDIFICAÇÃO DOS SEUS MEMBROS. As igrejas devem se organizar de modo a levar seus membros à pura manifestação da verdadeira vida cristã. Sua estrutura deve viabilizar a doutrina e a prática da doutrina. Por esse motivo, ela tem bispos e diáconos, membros especialmente separados para a preservação da verdadeira doutrina, promoção da autêntica vida cristã e socorro aos pobres. Diz Russell Shedd:

> *Bispos* significa simplesmente supervisores. No primeiro século eles eram supervisores da igreja assim como hoje há supervisores numa fábrica, para verificar se tudo está em bom andamento. Só que esses bispos (*episkopoi*) eram supervisores de pessoas. A palavra *diáconos*, por sua vez, significa servos, trabalhadores. Os bispos eram líderes que desempenhavam o ministério pastoral do ensino, organização e disciplina eclesiástica. Os diáconos serviam à igreja como assistentes dos pastores-bispos, como evangelistas (At 20.17-28).[7]

Gordon Fee ressalta o seguinte fato:

> *Episkopos* [...] acima de tudo denota a função, preferivelmente ao ofício. A primeira pista para o entendimento do seu significado está ligada ao verbo do qual ele é derivado, cujo sentido primário é "visitar" no sentido de procurar ou cuidar de alguém... eles eram provavelmente responsáveis pelo "cuidado das pessoas" nos mais diferentes sentidos do termo, incluindo administração, hospitalidade e cuidado pastoral.[8]

Aos bispos cabe a tarefa de zelar pela manutenção da pureza do evangelho. Seu dever consiste também em chamar sempre a igreja para viver à altura da pregação de Cristo. Aos diáconos cabe a missão de não permitir que

---

[6] Martyn LLOYD-JONES, *The Life of Joy and Peace: An Exposition of Phillipians*, p. 30.
[7] Russell P. SHEDD, *Alegrai-vos no Senhor: Uma exposição de Filipenses*, p. 16.
[8] Gordon FEE. *Paul's Letter to the Philippians*, p. 68-69.

ninguém no corpo de Cristo esteja privado do suprimento das suas necessidades básicas:

> Naqueles dias, aumentando o número dos discípulos, houve murmuração dos helenistas contra os hebreus, porque as viúvas deles estavam sendo esquecidas na distribuição diária. Então os doze convocaram a comunidade dos discípulos e disseram: "Não é correto que nós abandonemos a palavra de Deus para servir às mesas. Por isso, irmãos, escolham entre vocês sete homens de boa reputação, cheios do Espírito e de sabedoria, para os encarregarmos desse serviço. Quanto a nós, nos consagraremos à oração e ao ministério da palavra".
>
> Atos 6.1-4

Tudo isso se ajusta aos seguintes propósitos: alimentar a igreja, fazer com que seus membros pensem de acordo com a doutrina e tenham sua vida regulada por ela. Ela precisa, portanto, de bispos discentes, bons em teologia e capazes de ministrar a Palavra de Deus com graça. Contudo, seus membros estão expostos aos mais diferentes tipos de tribulação. Cabe à igreja estabelecer estrutura que permita o pleno exercício da misericórdia entre seus membros. Um ponto importante precisa ser destacado. Não há improviso. Ninguém tem a vida exposta a uma misericórdia incerta. Os diáconos são criteriosamente selecionados para evitar que o que sobeja na mesa de uns falte na mesa de outros. Resultado final: a igreja revelando ao mundo os efeitos sociológicos da presença de Cristo em sua vida. Necessidades intelectuais, morais, emocionais, psicológicas, financeiras, físicas, supridas pelo corpo de Cristo. Sendo assim, a sociedade teria uma referência para a sua organização política e social, embora saibamos que o que, na igreja, fluiria naturalmente por força da presença de Cristo, na cidade seria alcançado com muita imperfeição e alguma coerção exercida pela legislação.

Vale lembrar um fato: nada pode ser mais prejudicial para o bem-estar de uma igreja local do que impor as mãos precipitadamente. Escolher de modo displicente quem ocupará cargos tão centrais para o bom funcionamento do corpo de Cristo. Nesse sentido, nada mais importante do que a igreja levar a sério o que é ensinado pelas cartas pastorais: 1 e 2Timóteo e Tito.

Existe, portanto, forma e liberdade na igreja. Os cristãos devem sempre buscar no Espírito Santo direção para criarem estruturas eclesiásticas que melhor se adequem às demandas históricas das sociedades nas quais vivem. Contudo, o que serviu para uma época pode se tornar anacrônico para outra. Quanto a ter bispos (ensino) e diáconos (serviço), entretanto, não há liberdade. Tratam-se de ministérios que permitem à igreja cumprir sua missão no mundo.

COMUNIDADE INSERIDA NO MUNDO. A carta é escrita aos cristãos que vivem em Filipos. Não há a mínima indicação de que eles deveriam sair da cidade pagã. O motivo é simples: a igreja foi chamada para ser sal da terra e luz do mundo. Sua missão, portanto, é ajudar os moradores de Filipos a entenderem a natureza dos seus problemas pessoais e sociais. Eles têm de ser "esfregados" na cidade tal como o sal era esfregado na carne a fim de evitar seu apodrecimento.

É claro que Filipos tomará conhecimento da presença desses homens e mulheres tornados santos pelo poder do evangelho e que, por isso, vivem como servos de Cristo. Filipos ouvirá a proclamação do evangelho. Seus cidadãos convertidos levarão os valores do cristianismo para dentro do seu ambiente de trabalho e vida pública. Os santos e servos de Cristo hão de visitar as favelas, prisões, escolas e hospitais públicos de Filipos. Participarão do debate político oferecendo a espécie de contribuição que somente os cristãos podem dar.

> 1.2 *Que a graça e a paz de Deus, nosso Pai, e do Senhor Jesus Cristo estejam com vocês.*

Os cristãos vivem sob a graça e a paz de Deus Pai e do Senhor Jesus Cristo. A graça opera na igreja fazendo com que seus membros recebam frequentes visitações do Espírito Santo. Dons são derramados visando o aperfeiçoamento dos santos. Perdão é concedido em razão das imperfeições do seu amor. Em suma, os tesouros da graça são abertos para essa gente especialmente amada pelo seu Criador.

Como resultado de tudo isso, estabelece-se a paz. Note que a graça antecede a paz. Primeiro o ser humano é reconciliado com Deus. Em seguida, ele prova da paz de Deus em sua mente e coração. A paz tem um duplo significado nas Escrituras: ela tanto pode significar o fim da inimizade com Deus, quanto pode ter o sentido subjetivo daquele estado de alma que faz o ser humano descansar por saber que tudo o que lhe diz respeito na vida, inclusive seu destino eterno, está sob os cuidados de um ser Todo-poderoso cujo amor é chama que não se apaga.

Vale ressaltar um fato na análise final dos dois primeiros versos de Filipenses: a quantidade de vezes que o nome de Cristo aparece. A igreja é a comunidade dos *servos de Cristo*, dos *santos em Cristo* e graça e paz são concedidas *por Cristo*. Não há cristianismo sem Cristo. O serviço deve ser prestado a Cristo, a santidade é a santidade em Cristo, por Cristo e para Cristo, e as mais gloriosas bênçãos que os cristãos podem receber nesta vida são derramadas por meio de Cristo, tais como: ser tratados como se não tivessem pecados e encontrar, neste mundo tenebroso, descanso para a alma. Cristo é fundamento das ações de graça, o referencial de vida e o grande amor dos cristãos. Assim viviam as igrejas do primeiro século.

F. B. Meyer ressalta a aritmética do amor da igreja por Cristo, revelado nessa carta: "É muito notável também a frequência com que menciona o nome do Salvador. Ele é encontrado 40 vezes na epístola, ou seja, uma média de uma vez a cada três versículos, o que é característico do Novo Testamento".[9]

1.3 *Dou graças ao meu Deus por tudo o que lembro de vocês.*

Toda igreja local deveria ser objeto da nossa gratidão a Deus. Ao nos depararmos com a beleza do relacionamento entre os cristãos, sua relevância para o seu tempo, seu crescimento numérico baseado em reais conversões e amor por Deus deveríamos identificar, com corações gratos, a pura manifestação da graça divina. Só Deus para operar esse milagre num mundo no qual o poder das trevas se manifesta de modo tão palpável no interior das próprias instituições religiosas.

Os santos e servos de Cristo sempre haverão de se regozijar com o crescimento da igreja. Seus afetos estão nela. Paulo torna isso evidente ao dizer que, quando a imagem da igreja lhe vinha à mente, seu coração era tomado de gratidão. Ele sabia que os seres humanos não têm como bancar uma igreja saudável. Tudo milita para que até dentro dela os sinais da queda se manifestem. Quando vida é encontrada na igreja, os santos são movidos a atribuir a Deus o milagre de seres humanos viverem em harmonia produtiva sob o sorriso do Criador.

Não podemos deixar passar despercebida a intimidade do apóstolo com Deus. Ele o chama de *meu Deus*. Deus que ele conhecia pelo nome, Deus com o qual mantinha relação íntima, Deus que manifestava seu poder de modo palpável em seu ministério. Paulo, além de conhecer teologia, conhecia a Deus. O conhecimento teológico é fundamental para que saibamos se o Deus com o qual nos relacionamos é o Deus da revelação feita por Cristo, porém

---

[9] F. B. Meyer, *Ciudadanos del Cielo*, p. 15.

conhecer o Deus cuja identidade é revelada pelo evangelho não é o mesmo que, com base nessa mesma teologia, ter uma relação real com o Deus real.

1.4 *Fazendo sempre, com alegria, súplicas por todos vocês, em todas as minhas orações.*

A igreja era central na vida do apóstolo Paulo. O ser humano ora por aquilo que o seu coração está cheio. Quando o cristão pensa em quem Deus é, sente-se movido a orar com frequência. Deixar de orar será interpretado como um boicote à própria vida, pois o cristão considera o mais alto privilégio manter contato com ser tão amável em cuja presença pode apresentar as mais diferentes, almejadas e santas petições.

Quando o cristão pensa no que a igreja representa para Deus e para o mundo, sente-se movido a orar por ela. Como dissociar a nossa existência de algo tão importante para o Criador do universo e capaz de fazer tamanha diferença na vida dos homens?

O apóstolo amava a igreja. Quando dela se lembrava, a partir da percepção do que havia de belo em sua vida, seu coração cristão era tomado da mais profunda alegria. Um dos sinais mais autênticos do novo nascimento consiste no regozijo pela prosperidade da causa de Cristo. Nunca a causa de Cristo pode ser considerada mais próspera do que quando a igreja vai bem.

Igreja sadia sempre significará gente encantadora andando pelas ruas da cidade. A súplica de Paulo pelos irmãos de Filipos resultava da pura percepção das ameaças que cercam a vida de toda e qualquer igreja. O erro doutrinário e o desvio moral podem se insurgir e levar ao colapso a vida de congregações inteiras. A preservação da saúde da igreja é obra da graça divina em resposta às súplicas dos santos.

1.5 *Dou graças pela maneira como vocês têm participado na proclamação do evangelho, desde o primeiro dia até agora.*

Havia gratidão pela vida da igreja de Filipos. É possível a igreja se tornar objeto de ações de graça. O Novo Testamento insiste em afirmar que a igreja é viável. Quando as coisas não vão bem na igreja, cabe a seus membros buscarem reforma e avivamento: retorno à verdadeira doutrina e à verdadeira vida cristã. Desistir é inconcebível. Cristo e os apóstolos declararam que o sonho é possível. Porém, tudo neste mundo é tão cercado por trevas, que encontrar igrejas que manifestam sinais de vida impõe aos cristãos o dever de orar sempre com gratidão, pelo simples fato de considerarem verdadeiro milagre da graça especial seres humanos se entenderem e juntos viverem para glorificar a Deus.

O motivo da oração agradecida devia-se ao compromisso da igreja com a evangelização (Fp 2.25-30; 4.3,10-20; 2Co 8.1-5). Percebe-se que as igrejas dos primórdios do cristianismo foram orientadas a pregar o evangelho. A notícia da ressurreição de Cristo estava fresca. Aquela geração vibrava com a ideia de sair pelo mundo anunciando que o homem mais extraordinário que havia passado por este planeta havia vencido a morte.

Filipos se tornou uma igreja missionária. Estamos mais uma vez perante um vetor da vida das igrejas do Novo Testamento: o compromisso com a proclamação do evangelho. A igreja precisa ter em mente que, se ela não proclamar a boa notícia, ninguém mais o fará. O evangelho está sob a custódia da igreja, que deve preservar, desdobrar e comunicar o seu conteúdo. Seus membros devem se compadecer dos que não conhecem a doçura do conhecimento de Deus em Cristo. A evangelização do mundo depende de uma igreja que se compadece do próximo por vê-lo vivendo o inferno existencial próprio do que ignora o convite à paz feito por Cristo.

O zelo pela glória de Deus é afeição santa que faz os cristãos correrem o mundo para anunciar que, no tempo e no espaço, o amor se encarnou. A paixão evangelística faz a igreja proclamar o evangelho, levando-a a provar das inúmeras e surpreendentes manifestações da cooperação divina, pois estão expostos ao contato com as intervenções históricas do Deus vivo os que se dedicam à proclamação da mensagem que o Espírito Santo mais honra.

> **1.6** *Estou certo de que aquele que começou boa obra em vocês há de completá-la até o Dia de Cristo Jesus.*

Esse verso defende três doutrinas que fazem parte do que comumente é chamado de "ordem da salvação". Há um processo, perfeitamente identificável nas Escrituras, mediante o qual o Deus soberano leva a cabo a obra de redenção na vida de cada ser humano.

Ninguém se converte para a surpresa de Deus. Não há quem lhe cause admiração por procurá-lo. Não é cristã a ideia de o homem procurando Deus. Como disse C. S. Lewis, é como esperar que o rato procure o gato. Os seres humanos fogem de Deus, têm medo de Deus, confundem Deus com o diabo, por julgá-lo arbitrário. Em suma, os seres humanos estão mortos para Deus. Se existisse somente Efésios 2.1-3, o ponto já estaria estabelecido acima de toda a dúvida:

Ele lhes deu vida, quando vocês estavam mortos em suas transgressões e pecados, nos quais vocês andaram noutro tempo, segundo o curso deste mundo, segundo o príncipe da potestade do ar, do espírito que agora atua nos filhos da desobediência. Entre eles também nós todos andamos no passado, segundo as inclinações da nossa carne, fazendo a vontade da carne e dos pensamentos; e éramos por natureza filhos da ira, como também os demais.

Ninguém até hoje conseguiu mostrar como um homem consegue se livrar dessas correntes, prisões e morte sem o concurso da graça soberana de Deus.

Paulo e Timóteo estavam certos de que a igreja de Filipos, bem como a conversão de cada um dos seus membros, eram obra da graça recriadora de Deus: *aquele que começou boa obra*. Tudo é pessoal. Não é a graça que salva. Quem salva é o Deus gracioso. Tudo é deliberado. Fruto de decreto e levado a cabo pela providência divina.

A obra de salvação é considerada boa por ser absolutamente excelente. A salvação de cada ser humano engrandece o amor gracioso de Deus, manifesta o seu poder, exalta a obra do seu Filho e comunica redenção integral ao que dela é objeto. A obra de salvação é considerada como amável porque reconcilia a criatura com o Criador, responde às indagações da mente humana, purifica as afeições, faz o ser humano viver para o cumprimento da finalidade da sua vida e glorifica a Deus.

A boa obra tem sua sede no mais íntimo do ser humano. Como bem observa Martyn Lloyd-Jones:

> A igreja é um lugar onde Deus está trabalhando nos corações de homens e mulheres... deixe-me ir para o segundo princípio, o qual é a natureza da obra, e me parece que a chave para o seu entendimento é a palavra "em" — "aquele que começou a boa obra" — não entre vocês, mas 'em vocês'... O evangelho não é algum coisa que apenas muda o homem e o torna um pouco melhor, não é reforma moral ou melhora no sentido cultural.[10]

Ninguém pode dizer: "Jesus Cristo é Senhor" (Fp 2.11) se não sair do túmulo da morte espiritual. Primeiro ouve-se um "Lázaro, venha para fora!" (Jo 11.43), a fim de, em seguida, sentar-se à mesa com Cristo e ter comunhão com o seu Salvador. Quem começou a boa obra em Filipos foi Deus: o Deus que lhes preservou a vida até o dia da sua conversão, o Deus que botou em seus caminhos missionários cristãos designados para serem instrumentos

---

[10] Martyn LLOYD-JONES, *The Life of Joy and Peace: An Exposition of Phillipians*, p. 38-39.

da redenção dos homens, o Deus que lhes ofereceu um cordeiro para morrer em seu lugar, o Deus que lhes comunicou um evangelho, o Deus que lhes deu olhos para ver, ouvidos para ouvir, paladar para sentir a doçura do amor que é capaz de esquecer pecados.

A doutrina da perseverança dos santos, tão claramente exemplificada nesse verso, faz frutificar, como nenhuma outra, três virtudes essenciais da vida cristã: gratidão (tudo é obra de Deus), segurança (ele me sustenta pelo seu poder) e humildade (devo tudo a ele). Meditar sobre essa doutrina, que faz parte dos pilares da tradição reformada, é condição indispensável para a formação das afeições santas no coração humano.

A obra da redenção, iniciada e mantida pelo amor invencível, neste mundo de provações infernais, concede ao crente certeza absoluta de que nunca mais Deus deixará de ser o seu Pai: *há de completá-la até o Dia de Cristo Jesus*. O evangelho não promete o fim das lutas, das doenças, das tentações. Em alguns aspectos, a vida pode até mesmo piorar por seguirmos alguém tão perigoso, indigno e subversivo como Cristo. Estar ao seu lado pode fazer com que sejamos confundidos com bandidos. Estamos andando com ele em santa alegria e paz até o momento em que ele resolve chamar Herodes de raposa, entrar no templo e derrubar as mesas dos que transformaram religião em comércio e declarar que as lideranças religiosas judaicas eram piores do que sacerdotes pagãos. Cristianismo não é vida para covardes.

O que o evangelho promete, à luz dessa passagem gloriosa, é que Deus não permitirá que nada no universo seja capaz de impedir que a mão que dá forma ao vaso cesse de moldá-lo. O amor do Deus que decretou salvar move o poder do Deus que quer salvar e vai salvar. Como diz o apóstolo Paulo, em Romanos 8.38-39: "Porque eu estou bem certo de que nem a morte, nem a vida, nem os anjos, nem os principados, nem as coisas do presente, nem do porvir, nem os poderes, nem a altura, nem a profundidade, nem qualquer outra criatura poderá nos separar do amor de Deus, que está em Cristo Jesus, nosso Senhor".

A graça persevera nos santos fazendo-os perseverar em Deus. Para onde tudo isso caminha? A resposta não poderia ser mais comovente: *até o Dia de Cristo Jesus*. As Escrituras não consideram nenhum dia ordinário. Estar com o coração batendo neste momento é privilégio, oportunidade, graça. Cristo, contudo, anunciou nos seus anos de vida pública que um dia do calendário humano seria extraordinário. Esse dia é chamado de seu Dia. Por quê?

O Dia de Cristo Jesus é o dia da plena manifestação da glória de Cristo e da sua igreja. O universo saberá que tem um Rei e que aprouve a esse Rei constituir um povo para o louvor da sua glória. Será o dia do rugir do Leão da tribo de Judá. Todas as vozes se silenciarão. A santidade de Deus, com grande indignação e autoridade, dará fim às mortes, injustiças, guerras, violações de direito, desigualdades sociais, exploração, traições, homicídios. Todos os perpetradores desses males tomarão consciência de que viveram vida detestável aos olhos de Deus. O evangelho foi proclamado para livrar os seres humanos desse dia. Por que devemos crer no juízo final? Porque a santidade de Deus o exige! À luz desse verso, Gordon Fee apresenta importante traço da verdadeira vida cristã: "O 'Dia de Cristo' é a meta escatológica da presente vida em Cristo".[11]

Nenhum eleito será envergonhado no Dia de Cristo Jesus. Tudo o que lhe foi pregado será visto como absolutamente real e verdadeiro. Em estado de indizível espanto, perplexidade, gratidão, poderá ver a separação final entre justos e injustos. Hitler, Mussolini, Stalin e todos os que, numa medida maior ou menor, praticaram os mesmos atos saberão que o que fizeram foi levado a sério pelo Deus santo.

> **1.7** *Aliás, é justo que eu assim pense de todos vocês, porque os trago no coração, seja nas minhas algemas, seja na defesa e confirmação do evangelho, pois todos vocês são participantes da graça comigo.*

Paulo considerava algo ajustável às exigências da justiça que seu coração respondesse com gratidão a Deus às iniludíveis manifestações da graça divina na vida dos membros da igreja de Filipos. Quem vê o milagre do poder salvador de Deus na vida de uma igreja local e não se regozija com a visão de uma igreja florida está em desconexão com os sentimentos dos crentes verdadeiros, dos anjos e do próprio Deus.

Sua gratidão tinha um fundamento objetivo. O filipenses deram um testemunho crível da sua conversão e consequente compromisso com o evangelho. Sua avaliação quanto à autenticidade do testemunho da igreja de Filipos não era ingênua. Havia uma igreja verdadeira em Filipos, cujo testemunho de fé o encantava. Sua relação com a igreja atingia-o na medula do seu ser. Ele fala de um sentimento baseado no lugar de onde promanam as afeições, decisões e percepções espirituais: ele os trazia no coração.

Que beleza de quadro! É assim que pastores e igrejas deveriam se relacionar. É possível uma igreja ser movida por entranháveis afetos de amor. Temos de crer nessa obra da graça de Deus. Os dias são difíceis. Parece aos

---

[11] Gordon FEE. *Paul's Letter to the Philippians*, p. 86.

nossos olhos que nada é real na vida da igreja. Temos a instituição com seus prédios, tecnologia, legislação, funcionários, conta bancária. Mas sentimos falta de algo orgânico, visceral, espontâneo, capaz de nos remeter para o contato com pessoas diante das quais nos desarmamos devido à sua bondade. O que esse verso deseja nos ensinar é que é possível termos uma igreja real. O apóstolo Paulo amava a igreja de Filipos com amor complacente. Ele sentia prazer no que via. Não havia como ele não expandir o coração para receber seus irmãos filipenses, tornando assim sua felicidade conectada à felicidade da igreja.

Duas emblemáticas expressões de compromisso real de fé com o evangelho do Filho de Deus podiam ser encontradas pelo apóstolo na vida dos cristãos de Filipos. Primeiro, Paulo destaca o fato de que eles estiveram ao seu lado por ocasião do seu aprisionamento: *seja nas minhas algemas*. A igreja de Filipos não abandonou o apóstolo no seu pior momento. Havia um veredito dado pelo poder político: Paulo era um agitador, alguém que perturbava a ordem pública. Em ocasiões assim, digo por experiência própria, muitos são levados pela opinião dos que se levantam a uma só voz para acusar e desqualificar o ministro do evangelho. Nessas horas, é difícil mensurar a gratidão por aqueles que, no momento da mais alta prova, ficaram ao lado do ministro do evangelho, que, em estado de perplexidade, se viu perante falsas acusações e interpretações descaridosas e preconceituosas feitas pelos seus algozes. A igreja de Filipos não deixou Paulo apodrecer na cadeia. Ela o sustentou com oração, ofertas e solidariedade.

Em segundo lugar, outro sinal eloquente da obra da graça na vida daquela igreja consistia na sua dedicação ao trabalho apologético: *na defesa e confirmação do evangelho*. Paulo e os filipenses defendiam o evangelho, separando-o das acusações infundadas das quais era objeto. Quando o evangelho é associado ao que o desqualifica, é dever da igreja sair em defesa da verdade revelada, ainda que isso represente ficar contra seus próprios membros, uma vez que, em não poucas ocasiões, a opinião pública sobre o significado da fé cristã é formada a partir das sandices e inverdades proclamadas por líderes religiosos.

Creio, sem o mínimo receio de estar errado, que a aliança que os evangélicos brasileiros fizeram, em 2018, com políticos profissionais botou a igreja diante da obrigação moral de defender o evangelho a fim de mostrar a todos que o cristianismo é incompatível com grosseria, armamentismo, violação de direito, negacionismo, totalitarismo.

Haverá sempre no cristianismo um lado ofensivo. É impossível dizer aos seres humanos que eles são maus — a partir da apresentação objetiva das suas maldades — ou anunciar o juízo vindouro sobre aqueles que resistem à ordenação divina sem, com isso, não causar muita indignação. O evangelho terá de ser defendido quando a igreja realiza com fidelidade o seu trabalho evangelístico. Tudo isso demandará tato, humildade e coragem. Saber levar o interlocutor não cristão a duvidar da dúvida, entender que sem a esperança que há em Cristo os seres humanos tornam-se prisioneiros de incontáveis tensões intelectuais e pessoais, conhecer o sentido não caricaturado da palavra "pecado", compreender a ampla provisão que o sangue derramado na cruz faz para as transgressões humanas, isso é tarefa de todo membro da igreja de Cristo.

Apologética não é só defesa. Existe o trabalho de *confirmação do evangelho*, que consiste na apresentação sóbria, inteligente e educada do seu conteúdo. A igreja precisa proclamar o lado negativo da verdade, a perdição humana, e isso deve ser feito com sensibilidade cultural, a fim de proclamar o lado positivo da verdade, a redenção que há em Cristo. O ser humano carece do diagnóstico que o fará ter interesse pela cura da sua doença.

Em que consiste essa perdição? Há uma perdição metafísica e uma perdição moral. Os seres humanos são frágeis e maus. Estão expostos à morte, que os fazem divisar a chegada do dia no qual terão de se separar de todos e de tudo que amam. O tombo no não ser. O fim da personalidade. Memórias transformadas em poeira estelar.

A outra perdição é a moral. Nada nos ajuda mais a entendê-la do que partirmos do pressuposto de que Deus pede dos seres humanos o que é razoável. Deus quer que os homens amem uns aos outros e amem seu Criador. Mas não sabemos amar. Odiamos uns aos outros e ignoramos Deus. Em que consiste nosso problema? Tratamos com desdém quem nos fez e nos mantém vivos. Mais um ponto, e esse é acachapante: vivemos cobrando das pessoas o que não praticamos.

No Dia do Juízo Final, seremos postos para ler o livro que escrevemos. Como Moisés, estamos todos os dias descendo do monte Sinai com as tábuas da lei nas mãos a fim de cobrar dos seres humanos obediência e anunciar sua condenação. Não há um só de nós que viva de modo diferente. Naquele dia, ouviremos todas as sentenças morais que proferimos. Após as termos escutado, uma pergunta nos será feita: o que você tem a dizer sobre a forma como viveu à luz do que passou a vida inteira exigindo das pessoas? Nossas palavras nos condenam.

Como confirmamos o evangelho? Mostrando como a mensagem de Cristo nos cura do senso de absurdo, nos livra da solidão cósmica e empresta sentido à vida. Assim ajudamos os que nos ouvem a se livrarem da angústia existencial. Porém, isso não basta. Pessoas podem ser levadas a crer em Deus, na eternidade da alma e na criação do universo por um ser infinito e pessoal, mas ainda assim continuar em rebelião. Elas têm de ser chamadas a depor armas e entender (aí entra o evangelho!) que o Rei contra o qual se rebelaram quer perdoá-las e transformá-las em filhos e filhas.

Como um ser santo pode oferecer memória sem registro para iniquidades perpetradas por gente perversa que causou desgraça a tantas pessoas? Como perdoar os supostos pequenos atos de desonra cósmica? Um ser santo, amável, justo e que nos criou foi tornado objeto do nosso ódio. Como Deus pode oferecer perdão sem desonrar a si mesmo? Perdoar de modo justo a fim de que a glória da sua santidade fosse vindicada é propósito do Criador desde antes da fundação do mundo.

Deus enviou Cristo como oferta feita por ele para ele próprio. Somente assim, sua justiça pode dizer sim para o seu amor. Quando Cristo brada na cruz: "Está consumado!" (Jo 19.30), Deus está dizendo ao universo que ele é santo, santo, santo. Todos os seres inteligentes do cosmos que tomaram conhecimento desse espantoso acontecimento histórico ficaram sabendo de modo cabal que Deus odeia o pecado, não inocenta o culpado e não tolera que suas criaturas brinquem com a sua santidade.

Só havia uma forma de o apóstolo Paulo compreender o funcionamento da sua cabeça e da cabeça dos filipenses: *todos vocês são participantes da graça comigo*. Como entender essa gente vivendo em amor, pronta para ser presa, disposta a ser menosprezada pelo mundo e andando pelo planeta a fim de anunciar a mensagem que lhe queimava os ossos? Só a graça para explicar o fascínio da igreja pelo evangelho. Mais do que isso! Não se trata apenas da defesa de uma cosmovisão. Não! Mil vezes não! A graça faz com que a igreja proclame uma pessoa: Cristo, o eterno Filho de Deus. *Marketing* religioso, tecnologia, gestão empresarial, formação acadêmica, prédios, templos, autarquias, tudo isso é incapaz de operar o milagre de uma igreja que morreu para o mundo a fim de estar viva para Deus e o próximo.

> **1.8** *Pois Deus é testemunha da saudade que tenho de todos vocês, no profundo afeto de Cristo.*

Paulo chama Deus como testemunha. Quem conhecia melhor seu coração do que o próprio Deus? Qual ser humano podia ter acesso ao interior da sua alma? Como tornar perceptível o que escapa aos olhos? Percebe-se um profundo anseio por convencer a todos do imenso amor que ele sentia pela igreja. Nenhum pastor pode edificar a igreja sem que seus membros estejam certos de que ele sobe ao púlpito porque ama. Paulo também deseja estabelecer acima de toda dúvida sua gratidão pela generosidade da igreja.

Ao chamar Deus como testemunha, o apóstolo, de modo solene, busca elevar acima de toda incerteza o sentimento que regulava por completo sua relação com a igreja. É como se ele dissesse: "Temo a Deus. Não usaria seu santíssimo nome em vão. Aquele que sonda mente e espírito sabe o que motiva o meu coração em relação a todos vocês, membros da igreja que vi nascer". Nessas horas, percebemos o testemunho que as Escrituras dão da sua veracidade. Uma linguagem como essa denota sinceridade, transparência, verdade. Ele não continuaria a ensinar-lhes o evangelho se não estivesse certo de que, apesar de todos os transtornos que o evangelho lhes causava por atrair ódio e perseguição, o conteúdo da sua mensagem era a mais pura manifestação das intenções de Deus para a vida humana.

Paulo declara sentir falta do contato com os irmãos de Filipos. Havia o desejo de encontrar Cristo neles, compartilhar dons, edificá-los na fé santíssima, alertá-los quanto a possíveis ameaças ao seu bem-estar espiritual.

Toda igreja tem de funcionar assim. Ficar longe dela deveria trazer aperto ao coração. O vínculo do seu amor é Cristo, pois não é amor cristão verdadeiro aquele que não tem Cristo como elo. Qual amor é capaz de resistir à imperfeição presente na vida de toda igreja local? Ele os amava em Cristo. Cristo os amava nele. Sentimento proveniente das entranhas, gerado por Cristo, para a glória de Cristo e a santificação da igreja. O cristianismo simplesmente não funciona sem afeições santas. O amor entranhável é o que nos mantém unidos à igreja apesar de todas as suas ambiguidades.

Toda igreja deveria ser considerada amável. Olhar para ela tem de ser como olhar para um jardim. A igreja é uma comunidade de redimidos. É comovente observá-la em funcionamento: homens e mulheres que se arrependeram das suas iniquidades, em santa harmonia buscando o aperfeiçoamento mútuo no amor de Deus. Isso é muito bonito! Gordon Fee ressalta o fato de que a emoção do apóstolo Paulo flui da sua teologia: "A teologia tem a ver com o evangelho, o qual tem Deus como fonte e sustentador [...] aqueles que amamos em Cristo pertencem a Deus".[12] Ortodoxia sem amor é como a doença mortal da heterodoxia sem amor. Aquela falha por não viver

---

[12] Gordon FEE. *Paul's Letter to the Philippians*, p. 95.

à altura do que conhece, enquanto essa falha por manter um sistema de pensamento que não permite que se viva à altura do amor.

Por que há tão poucas igrejas amáveis? Crescimento numérico a partir de falsas experiências de conversão, leniência quanto aos desvios de doutrina e conduta, ausência de uma atmosfera de oração, ortodoxia morta, cercas altas mas pasto pobre; isso desfigura a imagem de qualquer igreja.

> **1.9** *E também faço essa oração: que o amor de vocês aumente mais e mais em conhecimento e toda a percepção.*

A vida da igreja tem de ser diariamente banhada pelas orações dos seus membros. O mundo é perverso. Suas trevas rondam todas as igrejas. O espírito do mundo pode entrar e a todos contaminar. As forças das trevas não dão descanso para púlpitos nos quais há luz e fogo. Se elas percebem que uma igreja está desempenhando papel central na promoção do reino de Cristo numa cidade, ciladas infernais serão postas no caminho dos santos. Por isso, o apóstolo intercedia pela igreja de Filipos.

Mas há um motivo mais positivo pelo qual a vida da igreja deve ser regada com orações: "Chame por mim e eu responderei; eu lhe anunciarei coisas grandes e ocultas, que você não conhece" (Jr 33.3). Deus quer abrir os tesouros das suas insondáveis riqueza em Cristo para cada igreja local. Não há comunidade cristã cujos membros sejam capazes de mensurar o que Deus lhes reserva. O céu pode descer nos seus cultos, um amor doce pode a todos envolver e portas se abrirem no mundo a fim de que seja dado testemunho sobre a ressurreição de Cristo.

Orar pelo quê? Paulo nos convida a entrarmos no cárcere onde ele se encontrava preso em Roma a fim de ouvi-lo orar pelos filipenses. Em primeiro lugar, ele pede amor. Precisávamos de salvação porque éramos incapazes de amar. Fomos redimidos pelo amor de Deus, que hoje nos chama para praticarmos aquilo em razão do que nos tornamos privados da glória de Deus e levou Cristo à cruz. Não somos salvos pelo amor. Fomos salvos para o amor. O amor não salva, mas ninguém entrará no reino de Deus sem amor. O amor é a maior evidência do novo nascimento. Sem amor, a igreja será uma maldição para a cidade. As verdades mais belas serão tratadas com menosprezo por aqueles que as veem na boca dos que não praticam o que pregam. Sua vida interna será um suplício para os seus próprios membros, expostos, em razão do contato estreito e amplo com os seres humanos, a verem suas diferenças superdimensionadas e até tornadas piores em razão da obediência carente da espontaneidade que só amor é capaz de gerar.

Esse amor assumirá a forma de amor por Deus e pelos homens. Deus será chamado de divina delícia da vida da igreja. F. B. Meyer ressalta o que o amor é capaz de produzir na relação com Deus: "Se seu amor é abundante, não apenas você conhecerá o Senhor, mas também discernirá suas pegadas onde os outros não as podem ver, e reconhecerá sua voz até em meio do bulício do mercado e vaivém das multidões".[13]

Cada ser humano terá sua dignidade respeitada. O amor pelos homens será simétrico na sua abrangência, nas suas preocupações morais e nas suas motivações: envolverá crentes e não crentes, terá dimensão privada e pública, será dirigido ao ser humano integral e movido pelas suas mais diferentes manifestações. Assumirá as formas de bondade, longanimidade, benignidade, mansidão, domínio próprio, misericórdia. Onde quer que esteja presente a igreja que aprendeu com Cristo a amar, será dito: "ali estão pessoas que fazem bem à sociedade". Seus membros amarão seus irmãos com o amor que têm por si mesmos. F. B. Meyer destaca o quanto esse amor altera a própria aparência do que experimentou do seu transbordamento: "Quando o amor de Deus realmente enche o coração, todo o ser o manifesta, o tom da voz, o olhar, os gestos, todo o porte [...] os que nos rodeiam se alegrarão com nossa presença e na nossa ausência nos buscarão".[14]

Esse amor, repito, é simétrico. Manifesta-se dentro e fora da igreja. Por isso, homens e mulheres sairão dos cultos, das classes de escola dominical, das reuniões de oração, dos grupos pequenos, para subir favela, visitar detentos, levar consolação aos enlutados, marchar nas ruas para pedir justiça.

Esse amor jamais será perfeito. Sempre haverá campo para ser conquistado. Ele é capaz de aumento, como Paulo ressalta. Por isso, jamais devemos desprezar uma igreja pelo fato de ela não ser tudo o que poderia ser. Nenhuma alcançará a meta. O que hoje não é enxergado passará a ser visto com clareza mais tarde. Essa foi a minha experiência ministerial, pois foi somente a partir de um ponto da minha vida que passei a entender que a igreja verdadeira deve estar na vanguarda da luta pela justiça e defesa dos direitos humanos. Sempre penso, nas horas em que a igreja me decepciona com a sua inação e indiferença, que se hoje eu considero que era cristão naquela época, apesar da miopia ética, por qual motivo não devo considerar cristão todos os que ainda ignoram o que não se deve ignorar? Separar o joio do trigo não é tarefa fácil para os filhos de Adão.

---

[13] F. B. MEYER, *Ciudadanos del Cielo*, p. 29.
[14] Idem, p. 28.

O amor conduz ao conhecimento, e o conhecimento conduz ao amor. O vero conhecimento da mente e do coração demanda amor. O mundo da teologia exige afinidade de alma com a doutrina. Ninguém a entenderá e a experimentará como verdade na alma se não a amar. O amor predispõe a mente para reconhecer a verdade. O conhecimento da verdade, contudo, amplia a área a ser iluminada pelo Espírito Santo a fim de que o crente conheça a excelência da verdade e a ame. Não há teologia sem amor, não há amor sem teologia. Por isso, Martyn Lloyd-Jones, com base nesse versículo, chama a atenção para a impropriedade que é associar religião e educação. O cristianismo não pode ser ensinado. A fim de que seja compreendido, requer o elemento de amor: "Onde não há amor não há vida, e deve haver vida antes de você comunicar conhecimento. Paulo está preocupado com o conhecimento que não é baseado no amor, e do mesmo modo ele está preocupado com o amor que não pode ser controlado e avaliado pelo conhecimento".[15]

O conhecimento precisa vir acompanhado da percepção espiritual, que habilita o crente a ver a teologia, amá-la, discerni-la, correlacioná-la e aplicá-la. Como declara William Hendriksen: "Uma pessoa que possui amor, mas carece de entendimento, pode mostrar muito ardor e entusiasmo, e assim entregar-se a toda sorte de trabalho. Seus motivos podem ser dignos e suas intenções, honrosas, mas poderia estar causando mais dano do que fazendo o bem, correndo o risco de se extraviar doutrinariamente".[16]

A boa exegese é central para a compreensão da riqueza dessa passagem. Diz Gordon Fee:

> A primeira palavra (*epignōsis*) [...] seu sentido primário não é tanto "conhecimento sobre" alguma coisa, mas preferivelmente a espécie de "pleno", ou "inato", conhecer que vem da experiência ou relacionamento pessoal. A segunda palavra (*aisthēsis*), que ocorre apenas aqui no Novo Testamento [...] no grego secular denota entendimento moral baseado na experiência, portanto, alguma coisa próxima de "*insight* moral".[17]

Tudo é experimental. Paulo fala de um conhecimento vivo, pleno, persuasivo associado a uma sensibilidade para divisar o belo, o justo, o santo. J. B. Lightfoot, na mesma linha de pensamento, declara: "Enquanto conhecimento lida com princípios gerais, discernimento diz respeito às aplicações práticas".[18]

---

[15] Martyn LLOYD-JONES, *The Life of Joy and Peace: An Exposition of Phillipians*, p. 50.
[16] William HENDRIKSEN, *Filipenses: Comentario del Nuevo Testamento*, p. 74.
[17] Gordon FEE. *Paul's Letter to the Philippians*, p. 100.
[18] J. B. LIGHTFOOT, *Philippians*, p. 99.

É evidente a preocupação do apóstolo Paulo com o zelo sem entendimento. Lembro-me de haver conversado, durante as eleições à presidência da República, em 2018, com um pastor que considero piedoso e pregador bíblico. Ao término da conversa, pensei: "Como pessoas boas podem ser perigosas. Ele é sincero. Mas, justamente por isso torna-se perigoso para a sociedade. Não há nada na sua conduta que possa ser considerado reprovável. Contudo, sua falta de vivência pública, conhecimento político e contato com o mundo real faz com que ele defenda o que é danoso para o país". Martyn Lloyd-Jones, como lhe é peculiar, projeta muita luz sobre esse tema: "O fato de que um homem possui muito conhecimento não significa necessariamente que ele tem sabedoria [...] é muito difícil descrever essa qualidade; é quase algo intelectual, mas é quase algo instintivo. Você pode ensinar conhecimento, você pode passar informação para ele, mas você não pode fazê-lo sábio".[19]

O verdadeiro cristianismo, portanto, é a religião da mente e do coração. Alfred Plummer indica, à luz da oração feita por Paulo nesse versículo, o que o amor inteligente deseja para a vida de cada discípulo de Cristo: "Os convertidos deveriam se tornar *experts* em assuntos espirituais, e conhecer instintivamente o que importa, e o que não importa, em pensamento e ação".[20]

> **1.10** *Para que vocês aprovem as coisas excelentes e sejam sinceros e inculpáveis para o Dia de Cristo.*

O amor associado ao conhecimento habilitará a igreja a discernir a excelência das coisas. A conexão entre os versos 9 e 10 projeta muita luz sobre o conceito cristão de conhecimento. O amor é o fundamento da epistemologia cristã. O campo de conhecimento que o evangelho propõe como objeto de contemplação requer reciprocidade. A compreensão da verdade depende do amor. Quem não ama é cego. A razão pura não consegue alçar voo às alturas do que de mais excelente existe na vida se o seu uso estiver condicionado pelo desamor. Por isso, a súplica do verso 9: "que o amor de vocês aumente mais e mais em conhecimento e toda a percepção, *para que...*".

Se a mente e o coração estiverem sob os efeitos do espírito do evangelho, estabelecer-se-á na vida do que crê a possibilidade de conhecer o que é excelente. Existe, portanto, a mente e o espírito da mente. Anterior ao ato de pensar há a propensão da mente. O exato ponto para o qual ela é encaminhada. O amor predispõe a mente a funcionar de um determinado modo. Cristãos saberão

---

[19] Martyn Lloyd-Jones, *The Life of Joy and Peace: An Exposition of Phillipians*, p. 53.
[20] Alfred Plummer, *A Commentary on Saint Paul's Epistle to the Philippians*, p. 14-15.

hierarquizar as verdades doutrinárias e morais. Nas controvérsias saberão escolher a verdade a partir da percepção da sua beleza. Haverá um elemento racional associado a algo quase que intuitivo. A mente estará predisposta a seguir o que é santo e belo, e o coração, a detectar a sua presença.

A igreja, portanto, estará preparada para saber ao que ela deve se dedicar, o que buscar e o que relativizar. Como declara Calvino: "Temos aqui uma definição da sabedoria cristã — conhecer o que é vantajoso e conveniente —, não torturar a mente com sutilezas vazias e com especulações. Pois o Senhor não deseja que seu povo crente se empregue futilmente em aprender o que é de proveito nenhum".[21] F. F. Bruce vai na mesma direção ao dizer: "A escolha das coisas excelentes, das melhores coisas, inclui a escolha importantíssima daquilo que é eticamente o melhor".[22]

Dizer *aprovem as coisas* é como se o apóstolo dissesse: "Que vocês coloquem à prova todas as coisas, buscando assim o comprovadamente bom. Aprovem as coisas que são excelentes. As melhores dentre as boas. Percebam o que é vital. Saibam a que devem dedicar seu tempo". O apóstolo enfatiza a necessidade de sabedoria e discriminação em amor. Essa necessidade surge de circunstâncias que apresentam problemas morais. Conflitos dialéticos. Dificuldade de escolher a norma superior com a qual as demais normas devem manter relação de sujeição. A discriminação do amor aplica testes, fazendo distinções impossíveis para o sentido moral não treinado (1Co 8; 10.19-33).[23] Discernir as coisas excelentes significa saber separar as melhores dentre as boas.

Tudo isso produz autenticidade e uma espécie de vida capaz de passar pelo crivo da lei. Estamos perante os grandes vetores de todas as atividades da igreja. Tudo deve ser movido para a direção da sinceridade (*sinceros*: metais sem escória) e inculpabilidade (que a ninguém faz tropeçar e capaz de chegar a um destino proposto sem lesões causadas pelos obstáculos do caminho).

A visão ética do apóstolo Paulo é regulada pela sua escatologia. Ele vê todas as coisas à luz do juízo final. Seus desejos convergem para uma igreja que, no dia da grande separação entre os homens — quando pessoas serão eternamente separadas umas das outras de acordo com a relação que mantiveram com a oferta de redenção feita por Deus —, a integridade de seu

---

[21] João CALVINO, *Série Comentários Bíblicos: Gálatas, Efésios, Filipenses e Colossenses*, 394 (E-book Kindle).
[22] F. F. BRUCE, *Novo Comentário Bíblico: Filipenses*, p. 46.
[23] Marvin VINCENT, *Philippians and Philemon — International Critical Commentary*, 864 (E-book Kindle).

testemunho de vida seja evidência de que ela foi reconciliada com Deus no tempo da oportunidade de salvação. O Dia de Cristo tem como objetivo apresentar ao universo o povo de Cristo. Naquele dia, as obras da igreja evidenciarão, pela graça divina, que Deus sempre teve um povo na terra.

> 1.11 *Cheios do fruto de justiça que vem por meio de Jesus Cristo, para glória e louvor de Deus.*

Estamos perante um grandioso sumário da vida cristã. A síntese do que de mais importante possa ser dito sobre a doutrina da santificação: o processo mediante o qual a vida humana é tornada similar à vida de Cristo. Três perguntas básicas sobre a vida cristã são respondidas por esse versículo: O que significa ser santo? O que habilita um homem e uma mulher a viver o cristianismo? Qual o objetivo do viver cristão?

Ninguém vive o cristianismo sem que a semente do evangelho tenha sido semeada no coração. A metáfora usada por Paulo sugere essa verdade. Olhamos para a vida de alguém e nos vem à mente a imagem de uma árvore frutífera. Por que ela está dando fruto? O que faz com que se destaque entre tantas árvores que não produzem fruto? Como explicar a existência de alguém cuja vida faz diferença para a vida de tanta gente?

A resposta reside no milagre da graça regeneradora à qual se segue a conversão autêntica. Só os cristãos são capazes de viver o cristianismo. A teologia do Novo Testamento é pessimista e otimista. Os seres humanos estão mortos. Sofrem de incapacidade total de viver a vida que Cristo designou para os seus discípulos. Contudo, Deus pode, pela sua graça, fazer andar pelas ruas da cidade gente que parece não ser desse mundo. O que caracteriza sua vida?

Essa gente manifesta o fruto da justiça. Quem é justo? Todo aquele cuja vida expressa o caráter de Deus revelado na sua lei. O que a lei pede do homem? Amor. Amor pelo Criador e por tudo o que o Criador ama. Sendo assim, ninguém é justo. Isso é um problema. Deus não manterá jamais comunhão com quem o desonra. Ignorar a lei de Deus é afronta à santidade divina. Deus, contudo, no seu infinito amor, anuncia no evangelho de seu Filho que injustos podem se tornar justos pela fé em Cristo. Deus passa a tratar o que crê como se esse jamais tivesse pecado:

> Mas Deus prova o seu próprio amor para conosco pelo fato de Cristo ter morrido por nós quando ainda éramos pecadores. Logo, muito mais agora, sendo justificados pelo seu sangue, seremos por ele salvos da ira. Porque, se nós, quando

inimigos, fomos reconciliados com Deus mediante a morte do seu Filho, muito mais, estando já reconciliados, seremos salvos pela sua vida!

Romanos 5.8-10

Surge um novo homem. Perdoado e amado. Livre do terror das ameaças da lei. Desejoso, em razão da emancipação moral que provou, de sair pelo mundo vivendo vida justa. Ele já é posicionalmente justo, agora anela viver como justo — não mais para ser considerado justo, mas por ter se tornado justo pela graça eterna. Observa-se, portanto, em seu comportamento, o fruto da justiça. Progressivamente ele manifesta a forma de viver prescrita pela lei. Ele ama. Seu caráter é simetricamente santo.

Esses frutos só podem ser produzidos por meio da união com Cristo. Vale repetir: o cristianismo é cético quanto à possibilidade de alguém viver sem Cristo a vida de Cristo. Não se trata, obviamente, de mera afinidade intelectual com a mensagem de Cristo. O apóstolo está falando de uma união com Cristo análoga à dos ramos com a árvore. Não significa apenas ter a cabeça cheia de doutrina, mas sim ser possuído por Cristo.

O que significa a boa obra? Quando ela pode ser considerada como tal? Ao responder nesse versículo a essa pergunta, Paulo mostra o abismo que separa o regenerado do não regenerado. Boa obra é aquela que é praticada pelos justificados. Quem não crê carece do elemento mais basilar para a qualificação de uma obra qualquer: "De fato, sem fé é impossível agradar a Deus, porque é necessário que aquele que se aproxima de Deus creia que ele existe e que recompensa os que o buscam" (Hb 11.6). Boa obra é apenas aquela que é prescrita pela lei. Não há espaço para invenções, que costumam funcionar como habilidosos modos de o homem fazer o que não lhe custa nada a fim de se evadir do que lhe custa muito.

Nenhuma obra é considerada boa se a meta da ação não for a glória de Deus. Se o foco não é a revelação ao mundo das perfeições de Deus, para quem estamos trabalhando? Glorificar a Deus é a grande causa da autenticidade da vida cristã, do caráter espontâneo do crente, do seu fervor e da sua resiliência face a toda oposição. O cristão é alguém que encontrou na vida o mais elevado propósito para viver. O próprio Deus vive para a glória do seu nome. O que para nós é considerado vaidade para Deus é considerado justiça. É injusto que eu faça as pessoas olharem para mim. Não sou a referência maior do que é belo, justo e bom. Ele é. É justo que Deus chame a atenção de todos para si. Isso é racional. Isso é amor.

Em suma, o cristão faz dos frutos de justiça atos de louvor grato. Ele vê sua vida em termos de uma liturgia viva. A verdadeira vida cristã consiste em fazer de cada gesto parte de um poema de amor ao Criador.

> **1.12** *Quero ainda, irmãos, que saibam que as coisas que me aconteceram têm até contribuído para o progresso do evangelho.*

Havia um grande zelo no coração do apóstolo pela igreja. Os cristãos eram os seus irmãos. Preciosos para Aquele que os adotara como filhos e filhas. Gente com a qual Paulo mantinha a mais estreita ligação. A ele cabia amá-los como irmãos e irmãs. O amor pela igreja é uma das principais evidências de conversão autêntica. Nenhum cristão tem o direito de desvincular sua felicidade da felicidade do restante da igreja.

Paulo não queria que eles ignorassem um fato. A igreja de Filipos poderia ser levada a tropeçar se não interpretasse à luz da teologia da providência de Deus os sofrimentos que ele estava enfrentando em Roma. Havia a possibilidade de a igreja ficar confusa quanto às provações de tão eminente servo de Cristo. Como pode Deus tratar com tamanha severidade aquele que o serve de modo tão belo? O tentador poderia levá-los a desconsiderar Paulo em razão das suas condições de vida. Suas lutas frequentes seriam o sinal da desaprovação divina do seu ministério? Como somos propensos a fazer nossos julgamentos com base nas contingências da vida, ignorando por completo a revelação de Deus! Não resta dúvida de que seus adversários também poderiam acusá-lo de estar sob o justo juízo de Deus.

Paulo usa a palavra *progresso*, que, como nos lembra Alfred Plummer, é "uma metáfora militar cujo significado é remover árvores e outros obstáculos antes do avanço de um exército".[24] Ele se encontrava preso em Roma. Por que viera parar ali? Porque o Deus soberano havia decretado que o evangelho alcançaria os eleitos da capital do império por meio do seu sofrimento. Como destaca F. B. Meyer: "O ódio dos seus inimigos foi o sopro de vento que o Todo-poderoso utilizou para levar seu barco até o porto desejado".[25]

É comovente observar o modo como o apóstolo havia atrelado sua felicidade ao progresso do evangelho. A causa da evangelização do mundo o fazia manter numa relação de subserviência a ela tudo o que se relacionava à sua vida. Paulo não esperava que seu púlpito fosse posto dentro de um cárcere. A experiência de privação de liberdade é uma das dores mais excruciantes

---

[24] Alfred Plummer, *A Commentary on Saint Paul's Epistle to the Philippians*, p. 19.
[25] F. B. Meyer, *Ciudadanos del Cielo*, p. 35.

que um ser humano pode sofrer. Entretanto, havia uma nota de gratidão no seu relato. Deus estava usando a sua perda de liberdade para dar liberdade ao evangelho.

O que o levava a considerar o progresso do evangelho como algo mais importante do que o seu bem-estar? Por que ele se regozijava por sofrer pelo evangelho? Porque ele considerava a revelação do evangelho como a mais excelsa manifestação dos atributos de Deus em toda a história da humanidade. A teologia do evangelho tem de ser proclamada, porque não há nada mais belo na vida. O evangelho faz o homem ter uma relação viva e pessoal com o Cristo que venceu a morte. O evangelho revela um Deus que se importa num mundo no qual os seres humanos são levados a crer que sua vida está entregue ao destino cego. O evangelho faz os homens deixarem de olhar para o monte Sinai a fim de contemplarem o bebê mamando no seio de Maria.

O evangelho desfaz a fobia de Deus. O evangelho oferece libertação integral aos homens. Se a igreja redescobrir o incalculável valor do evangelho, será posta em marcha para levar sua gloriosa mensagem a todos os continentes, ainda que isso lhe custe a privação das mais doces delícias da vida. Por isso, vemos o apóstolo Paulo declarar: "Porém em nada considero a vida preciosa para mim mesmo, desde que eu complete a minha carreira e o ministério que recebi do Senhor Jesus para testemunhar o evangelho da graça de Deus" (At 20.24). Não sei se encontro nas Escrituras algo que mais me pressione, envergonhe, perturbe ou confronte do que essa declaração de Atos. É esse o seu e o meu compromisso com o evangelho?

> 1.13 *De maneira que toda a guarda pretoriana e todos os demais sabem que estou preso por causa de Cristo.*

Deus decretou que Paulo teria um ministério extraordinário. Por meio de sua vida, pessoas se converteriam e a história da humanidade seria marcada para sempre. Contudo, o Deus que decreta o chamado e a extensão do ministério que nos foi dado é o Deus que também decreta os meios, a fim de que, por intermédio de nossa vida, o evangelho se torne conhecido. Aprouve a Deus que a prisão fosse usada pelo seu governo providencial como plataforma para a pregação do evangelho. Quando assumimos o compromisso de pregar o evangelho, precisamos saber de antemão que isso pode se tornar muito custoso. Se não tivermos em mente esse fato, extraído das páginas da Escritura e da história subsequente da igreja, nos escandalizaremos com os propósitos inescrutáveis de Deus.

A estratégia do Espírito Santo foi inusitada: usar a prisão do apóstolo para que ele ganhasse pessoas que não seriam alcançadas de outra forma. Tudo começa com o grupo menos provável de ser alcançado. Paulo foi forçado a manter convívio estreito com a tropa de elite do imperador. Podemos estar certos de que, nas visitas que o apóstolo Paulo recebia, suas conversas e orações eram ouvidas pelos soldados romanos. Não resta dúvida de que houve inúmeros diálogos de cunho bem pessoal, nos quais Paulo usou o evangelho como resposta para as questões daqueles homens acostumados à dureza da vida militar. Acima de tudo, seu testemunho e milagres devem ter impressionado a muitos. Como ressalta F. F. Bruce:

> A guarda pretoriana é, literalmente, o *praetorium*, isto é, a guarda pessoal do imperador [...]. Havendo apelado ao imperador, Paulo se torna prisioneiro do imperador (embora preferisse julgar-se "prisioneiro de Cristo Jesus"), e enquanto esperava o julgamento foi-lhe "permitido morar à parte, com o soldado que o guardava" (At 28.16). Era natural que o soldado (substituído por um companheiro a cada quatro horas, mais ou menos) pertencesse à guarda imperial. Seria de esperar-se, portanto, que as notícias concernentes a esse prisioneiro extraordinário se espalhassem por todo o quartel pretoriano.[26]

A notícia, portanto, se espalhou por Roma. Pessoas tomaram conhecimento de que havia um prisioneiro que fora detido em razão do seu envolvimento com um certo Cristo. Não tardou que fosse propagada pela cidade informações sobre o personagem mais extraordinário da história da humanidade. Pessoas passaram a saber sobre seus milagres, sua ressurreição, o motivo da sua vinda ao mundo e o conteúdo de sua pregação.

Paulo era prisioneiro de Cristo. Ele perdera sua liberdade porque se recusava a calar-se. É central para o exercício do ministério que Deus nos concedeu que aprendamos as importantes lições sobre a obra missionária apresentadas por esse verso. Que saibamos sempre divisar nas circunstâncias da vida as oportunidades que Deus nos concede para testemunharmos de Cristo. Que não nos comportemos como cristãos mimados, esperando cumprir sem sobressaltos nosso chamado. Aqueles militares viram no apóstolo o comportamento de um bravo soldado. Celebremos o fato de padecermos perseguições por causa tão gloriosa: *preso por causa de Cristo*. Ele não estava sofrendo por causa do império e da fidelidade ao imperador. O motivo da sua tribulação consistia no seu amor pelo reino de Cristo e pelo Rei do universo.

---

[26] F. F. BRUCE, *Novo Comentário Bíblico: Filipenses*, p. 51.

1.14 *E os irmãos, em sua maioria, estimulados no Senhor por minhas algemas, ousam falar a palavra com mais coragem.*

O evangelho é a principal causa da igreja. Quem compreendeu tudo o que está envolvido no conteúdo da mensagem de Cristo torna todas as demais causas da vida sujeitas a esse grande vetor da missão da igreja no mundo. O evangelho oferece resposta simples para as principais indagações do espírito humano, revela um Deus digno de ser amado e põe a igreja no centro da história da humanidade.

O compromisso com a proclamação da glória do evangelho é a única explicação para um comportamento tão antinatural por parte do apóstolo Paulo. Ele abre mão da sua liberdade e se regozija com isso por saber que Deus estava usando seu sofrimento para produzir um avivamento evangelístico na capital do império.

Ele percebe que sua prisão causou duas consequências práticas extraordinárias. Pessoas estavam se convertendo por meio do contato com ele na prisão e espalhando pela cidade o que ouviam dentro do cárcere. Ainda outra obra da graça estava também em curso dentro da igreja de Roma. Os *irmãos*, essa gente amada por Deus e preciosa aos olhos do apóstolo, experimentaram, em sua maioria, um renovado fervor evangelístico.

O fundamento daquele despertamento era a operação secreta de Cristo no coração da igreja. A causa instrumental, contudo, usada pela graça de Deus, foi o espetáculo da revelação divina dentro da prisão onde se encontrava Paulo.

O que deve ter chamado a atenção de todos (lições eternas para a obra missionária)? Primeiro, o fato de o apóstolo estar mais preocupado com a liberdade do evangelho do que com sua liberdade pessoal. Sua pregação tornava tudo pior para ele. Todos podiam testemunhar o lugar que o evangelho ocupava em sua vida. Segundo, seu testemunho. Naquela prensa humana, Paulo exalava o perfume de Cristo. A verdadeira vida cristã estava sendo submetida à prova cruel, mas saía vitoriosa por meio de comportamento tão nobre. Em terceiro lugar, a igreja de Roma percebeu como a providência divina opera de modo surpreendente e inescrutável. Deus estava usando seu aprisionamento para salvar moradores de Roma. Em quarto lugar, todos puderam divisar a fidelidade divina, pois ali estava a evidência de que Deus jamais abandona seus servos nas ocasiões em que estes estão pagando o preço da inestimável fidelidade à mensagem de valor incalculável.

Tomados de coragem — virtude da qual dependem todas as demais virtudes nas horas da provação, quando ser santo expõe a vida ao risco dos mais diferentes tipos de perda —, os cristão de Roma se dispuseram a enfrentar todas as ameaças à sua vida a fim de proclamarem nas ruas o que estava sendo proclamado na prisão.

Quantas informações valiosas para o cumprimento da missão da igreja no mundo emergem desse verso. Deus assume o compromisso com os porta-vozes da sua mensagem de não desampará-los nunca, o que não significa jamais poupá-los de lidar com a inescrutabilidade dos seus caminhos soberanos. A igreja não cumpre sua missão no mundo sem confiança implícita no caráter de Deus.

Temos de pedir graça a Deus para que sejamos precisos na teologia e na forma de viver. Não adianta sermos impecáveis na doutrina se, nas horas de tribulação, nos comportamos como se ela não fosse a mais pura expressão da verdade. Paulo defendeu o evangelho por meio da maneira sóbria mediante a qual enfrentou os anos passados na prisão. Pessoas estão de olho em nós, cristãos, especialmente quando a verdade que proclamamos é sujeita aos testes da vida.

Qual o sentido disso tudo? Por que sofrer por uma mensagem? O evangelho não se trata de uma mensagem qualquer: ele é a Palavra de Deus: *ousam falar a palavra*. Deus havia falado. Paulo queria que, por meio do seu ministério e vida, o que fora falado por Deus fosse revelado.

> **1.15** *É verdade que alguns proclamam Cristo por inveja e rivalidade, mas outros o fazem de boa vontade.*

A prisão do apóstolo Paulo havia desencadeado duas espécies de atividades evangelísticas em Roma. Cristo estava sendo proclamado. Mais pessoas foram encontradas anunciando o evangelho. Não há sinal de que os pregadores que Paulo menciona estavam pregando um falso Cristo. Eles proclamavam o Cristo real para pessoas carentes da redenção no nome do Filho de Deus. Isso o alegrava. Tamanho era o seu apreço pela mensagem de Cristo, que pouco lhe importava que esse crescimento no número de mensageiros do evangelho em nada contribuísse para a obtenção de algum benefício pessoal da sua parte. O amor exclusivo pela glória de Cristo e salvação dos homens pouparia muitos pregadores da disputa por espaço no mercado da religião, que a tantos adoece, torna a vida mesquinha e faz a língua propalar difamação.

Paulo observava que muitos passaram a pregar com mais zelo após a sua prisão, contudo, movidos pela motivação mais baixa possível. Eles pregavam por inveja. O sucesso do apóstolo os martirizava. Eles haviam desenvolvido um sentimento patológico em relação às suas façanhas ministeriais. Pecados da religião. Devemos tomar cuidado com as tentações e enfermidades que são próprias do universo das instituições religiosas. Que todo ministro do evangelho peça sempre a Deus graça para ser grato tanto pela esfera ministerial que Deus lhe designou, quanto pelas proezas que irmãos na fé realizam para a glória de Deus.

Aqueles homens pregavam por rivalidade. Buscavam de alguma forma ganhar o espaço deixado pela prisão do apóstolo. Pode ser que tenham insinuado que o seu aprisionamento fosse o sinal da disciplina divina sobre a sua vida. Julgavam que estavam diante da oportunidade rara de diminuir a ascendência de Paulo sobre as igrejas nos lares de Roma.

Todos queremos ter visibilidade. Lutamos para ser vistos, amados e honrados. Sempre haverá no mundo homens que entenderão que o universo das instituições religiosas é a plataforma mais disponível e segura para sua promoção e ascensão social. Eles não podem ser considerados falsos profetas, mas sim falsos amantes da causa de Cristo. Paulo não permitia que o seu coração adoecesse por causa desses homens, nem atacava suas atividades ministeriais. Deus estava usando sua ânsia por autopromoção para salvar os eleitos.

Havia, pela graça divina, aqueles que pregavam a Cristo porque amavam o seu Salvador e se compadeciam dos que não conheciam a esperança do evangelho. Eles o faziam de boa vontade. O conteúdo da mensagem os encantava e a condição humana dos não redimidos os angustiava. Esses foram estimulados pela prisão de Paulo a pregar o evangelho com mais ousadia. O exemplo de Paulo e o seu impedimento de pregar a Palavra em liberdade trouxe-lhes o peso de uma responsabilidade maior pelo cumprimento da sua vocação. Assim deveríamos viver sempre que tomamos conhecimento das belas manifestações de renúncia pessoal em favor da causa de Cristo e da partida deste mundo de eminentes servos de Cristo. Na minha geração, testemunhamos as mortes do reverendo Antonio Elias, John Stott, R. C. Sproul, Martyn Lloyd-Jones, Francis Schaeffer, René Padilla, Martin Luther King, entre outros eminentes pregadores, mestres e ativistas. Que Deus nos conceda graça para que passemos adiante as verdades que deles recebemos.

> **1.16** *Estes o fazem por amor, sabendo que estou incumbido da defesa do evangelho.*

Paulo continua falando sobre as duas espécies de trabalho evangelístico em Roma. Dois grupos igualmente ortodoxos, movidos, entretanto, por propósitos opostos. Fidelidade doutrinária não é tudo. Pregação correta pode partir de coração incorreto. Eles não eram opositores do evangelho, mas sim opositores do ministério de um fiel pregador do evangelho. Como pode acontecer? Aconteceu porque ser ortodoxo pode ser vantajoso. A dedicação à ortodoxia pode ter como motivação a disputa por espaço no mercado religioso. Essa gente não causa dano à verdade como tal, mas aos mais eminentes servos de Cristo, invejados pelos dons que receberam.

Havia, em Roma, os que proclamavam o evangelho porque seu amor os constrangia a não ficar calados. Paulo os amava. Não há nada mais bem-aventurado para a vida da igreja e para a obra de evangelização do mundo do que a pregação do evangelho nos lábios de quem ama o que prega, e, por amar o que prega, ama a quem prega a verdade por amor. Esses não causam dano nem ao evangelho nem aos ministros do evangelho. Eles amam a Cristo e aos servos de Cristo. Toda sua motivação é regulada pelo encanto pela beleza da verdade e beleza da obra levada a cabo pelos pregadores da Palavra de Deus.

Eles sabiam que o apóstolo Paulo estava sendo acusado de subversão dos costumes por meio de pregação de cunho religioso. Seu trabalho em Roma consistia em defender o evangelho das acusações que lhe eram feitas. Deus o havia designado para anunciar ao mundo que o evangelho não causa dano aos que compreendem e abraçam a sua mensagem. Aqueles pregadores de coração convertido a Deus e à igreja foram levados a entender que, mais do que nunca, deveriam se associar a Paulo no ministério de defesa do evangelho, uma vez que o seu principal porta-voz estava preso. Graças a Deus por esses pregadores que não usam o trabalho que fazem como plataforma para a promoção da sua vaidade.

> **1.17** *Aqueles, porém, pregam Cristo por interesse pessoal, não de forma sincera, pensando que assim podem aumentar meu sofrimento na prisão.*

O contato com as instituições religiosas pode estragar os homens. Há tentações que são exclusivas ao universo religioso.

Homens eram encontrados pregando o evangelho de Cristo. Em nenhum momento é dito que eles pregavam outro Cristo. Devia haver pequenas diferenças doutrinárias, avultadas pelo interesse pessoal. Motivados, portanto, pelo egoísmo, que os levou a desenvolver uma mentalidade partidária, esses pregadores eram encontrados zelosamente dedicados a seu trabalho de evangelização. A ortodoxia servia de ponte para a autopromoção. A vaidade pode levar um homem a ser ardoroso defensor da verdade. Jamais devemos nos dar por satisfeitos por estarmos do lado do melhor da tradição. Nem sempre a heresia atende aos interesses da carne.

Nada lhes trazia mais prazer na vida do que levar pessoas a Cristo e, ao mesmo tempo, ver os verdadeiros pregadores do evangelho, que faziam sombra aos seus ministérios, passar por revezes na vida. Religião é um perigo. Eles julgavam o apóstolo Paulo a partir da ambiguidade de sua própria vida. Como o sucesso de Paulo os fazia sofrer, entendiam que seu sucesso em fazer convertidos e ganhar fama na capital do império tornaria a prisão do apóstolo ainda mais insuportável.

Que sejamos impiedosos com a carne, não permitindo jamais que ambição religiosa nos torne inimigos dos amigos de Cristo! As práticas de "roubar ovelhas", escolher o silêncio quando ministros são impiedosamente caluniados e vazar em nossa conversação supostas fraquezas morais ou fracassos ministeriais daqueles cujo sucesso nos põe de cama deveriam ser lançadas para longe de nós como faríamos caso uma serpente se enrolasse nas nossas pernas. É horrível estar nesse lugar.

> **1.18** *Mas que importa? Uma vez que, de uma forma ou de outra, Cristo está sendo pregado, seja com fingimento, seja com sinceridade, também com isto me alegro; sim, sempre me alegrarei.*

Paulo chama os membros da igreja de Filipos para considerarem com ele tudo o que estava em curso, à luz da boa teologia, da verdade revelada e do governo providencial de Deus. Qual o resultado do que ocorria? Havia duas espécies de pregadores atuando na capital do império. Duas maneiras de pregar idênticas no seu conteúdo, mas diferentes na sua motivação. O que importava é que Deus estava usando os vasos de honra e os vasos de desonra. A eficácia do Espírito Santo acompanhava a pregação dos santos e dos hipócritas. Nenhum pregador deveria avaliar sua condição espiritual sob a perspectiva do sucesso. É possível Deus colocar o seu selo sobre a pregação de quem não vale nada.

O pregador olha para a multidão que o cerca, como resultado da sua dedicação obstinada ao trabalho, e é levado a declarar para si mesmo: "Deus se agrada de mim, caso contrário, minha pregação não surtiria tamanho efeito na vida dos que me ouvem". Paulo considerava esse autoexame superficial um ato de loucura. De que vale ganharmos prestígio pela quantidade de movimentação que conseguimos fazer na igreja, se a motivação é carnal e, na busca por obtenção de fama, passamos por cima de todo pregador cuja obra faz sombra ao nosso ministério? Calvino apresenta fato que deveria levar todos os pregadores famosos a cair de joelhos: "Deus às vezes realiza uma obra admirável por meio de instrumentos perversos e depravados".[27]

Esse verso nos ensina uma preciosa lição: não devemos ficar absortos em nossa própria vida, interessando-nos apenas por ela. Paulo via tudo em termos de Cristo, seu evangelho e o avanço do reino do Salvador. É o que Gordon Fee também enfatiza: "Paulo era um homem de uma única paixão: Cristo e o evangelho".[28] O motivo da sua alegria na prisão consistia no uso que Deus fazia do seu encarceramento para a conquista de uma cidade estratégica para a penetração do evangelho nas mais diferentes partes do mundo antigo.

> **1.19** *Porque estou certo de que, pela súplica de vocês e com a ajuda do Espírito de Jesus Cristo, isso resultará em minha libertação.*

Paulo não sabia de antemão, detalhe por detalhe, o que a providência divina havia reservado para sua vida. Ele estava nas mãos dos homens, lidando forçosamente com a maldade dos opositores do evangelho e dos que o mantinham preso. Contudo, algumas certezas, por meio das quais ele enxergava todo o sofrimento pelo qual estava atravessando, faziam com que ele não se abatesse, e ainda encontrasse ânimo para pregar o evangelho. Como precisamos aprender a fazer análises teológicas dos golpes que levamos da vida.

Nesse verso, não vemos apenas a imagem de um homem que pensava bem, mas de alguém que, por meio dessa mesma teologia, mantinha relação viva e pessoal com a igreja e com Deus. Ele clama pela intercessão da igreja de Filipos. Ele cria na súplica feita pela comunidade da fé. Sabia que havia promessas para esse tipo de oração. Ele contava com esse amor que inevitavelmente leva a igreja a interceder por quem lhe é valioso. Paulo tinha a convicção de que estava lidando com forças que excediam seus recursos humanos para poder enfrentá-las sem desonrar a Cristo, o que o levava a contar com a presença pessoal de Deus em resposta à oração de uma igreja que o amava.

O principal resultado dessa intercessão comunitária pela sua vida seria a provisão do Espírito de Cristo, que, das mais diferentes formas — seja comunicando dons, palavras, visões, percepção da presença real de Jesus naquela

---

[27] João CALVINO, *Série Comentários Bíblicos: Gálatas, Efésios, Filipenses e Colossenses*, 401 (E-book Kindle).
[28] Gordon FEE. *Paul's Letter to the Philippians*, p. 125.

prisão, seja dando a si mesmo ao discípulo fiel do Salvador —, o capacitaria a não perder o ser, apesar de toda a opressão humana e diabólica que sofria. Que suprimento temos à nossa disposição! Não sabemos o que nos aguarda. Ninguém o sabe. A providência divina é soberana e surpreendente, e não poucas vezes nos faz chorar. Mas, sabemos de antemão que o Espírito de Cristo é provisão mais do que suficiente para as demandas ministeriais que o futuro nos reserva. Paulo estava certo de que tudo o que enfrentava fazia parte do pacote mais amplo da salvação. Todas as dores por causa de Cristo entrariam para a história da sua vida. Sua insistência em não deixar de proclamar a fé em meio a todo o inferno que atravessava haveria de glorificar a Cristo, edificar a igreja do seu tempo e servir de exemplo para os cristãos de todas as eras.

> **1.20** *Minha ardente expectativa e esperança é que em nada serei envergonhado, mas que, com toda a ousadia, como sempre, também agora, Cristo será engrandecido no meu corpo, quer pela vida, quer pela morte.*

A mente de Paulo estava fixada em algo. Ele se comporta como se estivesse a tirar os olhos do que estava à sua frente a fim de olhar para algo mais adiante, cujo valor incalculável regulava as escolhas que fazia. Em razão da fidelidade divina, da intercessão da igreja e da assistência do Espírito de Cristo, sua mente encontrava paz numa espécie de certeza: a de que não seria envergonhado. Que solidez pode ser encontrada no ministério exercido por quem conhece o caráter de Deus.

Um dos lados mais difíceis do ministério pastoral é manter a estabilidade emocional semana após semana. A parte principal do seu trabalho é pública. Se ele está abatido, torna-se passível de expor o seu abatimento perante os que o ouvem. A vida emocional dos ministros do evangelho não pode ser ciclotímica. Lutas, lágrimas e profundas crises de desânimo podem se abater sobre pregadores fiéis. O sapientíssimo Deus, entretanto, chama para estar à frente do seu povo aqueles com quem todos podem contar na maior parte do tempo. Poder dizer: *minha ardente expectativa e esperança* é o que dá estabilidade para homens dedicados a tal tarefa tão extenuante. Paulo sabia que não seria envergonhado. Deus não falharia e ele também não. O Deus fiel o faria fiel. Nós cristãos só não sucumbimos às pressões infernais que sofremos no curso do cumprimento da nossa vocação porque de antemão cremos que jamais seremos envergonhados diante dos homens, dos anjos e de Deus.

Ele sabia que, em razão da glória da mensagem da qual era porta-voz, devia pregar o evangelho seja qual fosse o tipo de cara feia que tivesse de encarar. Ele precisava de ousadia porque a pregação o expunha ao risco de morte. A ele cabia pregar com sensibilidade cultural, mas jamais negociar a verdade a fim de não causar escândalo, visando desse modo poupar-se de sofrimento. Assim ele sempre viveu. Agora, chegada a hora do seu julgamento, a ele cabia continuar pregando a verdade com intrepidez, uma vez que a obstinação e perversidade dos homens os levam a odiar a luz.

Vale ressaltar um ponto de imensa importância: ele não via a si mesmo dando sua vida por um conjunto de verdades abstratas. Ele queria ver Cristo exaltado. O encontro com a beleza, o amor, a santidade e a mensagem de Cristo o faziam obcecado pela ideia de ver Cristo glorificado. Os cristãos deveriam anelar ardentemente que Deus os usasse como palco para a manifestação da sua glória. Todos deveríamos almejar ver Cristo tornado amável, desejável e crível por meio da entrega sacrificial da totalidade de nosso ser.

Paulo ressalta que essa obra se realizaria por meio do seu corpo, que naquele momento encontrava-se sob a pressão do aprisionamento e ameaça de morte. As Escrituras dignificam esse corpo tão frágil, corruptível e passível de dor. Aguardamos a redenção de nosso corpo porque estamos expostos a limitações e sofrimentos sem fim. A morte é a libertação do cativeiro de um corpo caído. Por tudo isso, um ser humano expor seu corpo, sujeito a dores lancinantes, ao sofrimento por causa do evangelho é uma extraordinária forma de revelar ao mundo a autenticidade da fé.

Quem ouve o pregador pregar tem de crer que ele crê. Paulo tinha o foco nessa forma de glorificar a Cristo, seja por meio da preservação da sua vida a fim de usá-la para a proclamação da mensagem de Cristo, seja por meio de uma morte sofrida com sobriedade, capaz assim de mostrar a realidade da fé. O raciocínio é claro: "se viver, dedicarei a totalidade de minha vida à causa de Cristo, se tiver de enfrentar o martírio, o farei com dignidade". O que dizer sobre as diferentes espécies de morte, menos custosas, que deveríamos enfrentar por amor a Cristo?

> **1.21** *Porque para mim o viver é Cristo, e o morrer é lucro.*

William Shakespeare põe na boca de Macbeth uma declaração que deveria mobilizar a espécie humana inteira a fim de que a questão que ele apresenta aos seres humanos obtivesse resposta:

Apaga-te, vela fugaz!
A vida não é senão uma caminhada
Sombria, um pobre ator
Que se pavoneia e gasta a sua hora
No cenário,
E logo ninguém mais o ouve;
Vem a ser um conto
Narrado por um idiota,
Cheio de ruído e fúria,
Que não significa nada.

O que é a vida? Costumeiramente somos movidos a pensar em trabalho, sexo, família, dinheiro, poder, visibilidade. Mas poucos se dedicam à tarefa de pensar na vida em si. Qual o seu sentido? Um dia teremos de nos separar de tudo e de todos que amamos. Damos a totalidade do nosso tempo para aquilo que subitamente pode ser arrancado de nós. Duramos pouco. Nossos anos passam como um sonho. Não temos descanso um dia sequer. É luta após luta. Damos o sangue para conquistar alguma coisa que consideramos importante e, após termos alcançado o que tanto sonhamos, passamos a lutar para preservar o que conquistamos. A ansiedade é inevitável. Cercados de adversários mais fortes do que nós, temermos perder aquilo sem o que nossa existência seria reputada por nós como miserável.

O cristão é inevitavelmente um filósofo. As promessas cristãs o fazem pensar no seu oposto. Ele é alguém sempre confrontado com a alternativa existencialista: tudo o que temos é esta presente vida. Dediquemo-nos a ela. Se a finitude da vida nos levar a considerá-la sem sentido, entendamos que viver para convencer as pessoas de que tudo é destituído de significado também é algo sem sentido.

O cristão olha com horror para o dramático espetáculo da vida sem Deus. Ele não é mais vítima das circunstâncias da vida. Ele está livre da tirania do que lhe pode acontecer.[29] Ninguém pode arrebatá-lo de Cristo, ninguém pode arrebatar Cristo dele. Se a vida tem sentido, essa deveria ser a única base do seu significado. Possuir uma felicidade que não pode ser roubada por nada nem por ninguém.

O cristão considera o amor por Cristo o fundamento da sua existência. Em Cristo ele encontrou amor. Alguém que o ama como ninguém mais o faz. No sangue do seu Salvador, o cristão encontrou redenção. Por estar em

---

[29] Martyn LLOYD-JONES, *The Life of Joy and Peace: An Exposition of Phillipians*, p. 93.

Cristo, ele sabe que Deus o declarou justo, por um ato de graça e amor. Por isso, está certo de que todas as promessas reservadas para a vida dos justos pertencem a ele. Em Cristo, ele divisou o belo. A vida de Cristo o encanta. Seu maior anseio é imitá-la.

Em Cristo, foi-lhe desvendado o mistério da vida. Deus é visto como infinitamente bom. O Deus único, infinito, imutável, autoexistente, independente é contemplado como Deus que deu aos pecadores o seu mais estimado bem.

O cristão anseia por tornar conhecido o nome de Cristo. Ele não tem nada de melhor a oferecer à humanidade. A ideia de ver pessoas se convertendo e formando novos grupos de cristãos o comove. Ele deseja, com todo o seu ser, ver homens e mulheres sujeitos a um Redentor absolutamente amável.

O tema da morte é indissociável do tema da vida. Todos os que caminham nesse mundo sabem que um dia terão de se deparar com uma muralha inexpugnável. Um obstáculo perante o qual terão de se curvar. Naquele dia, descobrirão que semearam para o nada. Sentirão que lhe contaram na infância uma mentira: que é possível encontrar sentido na vida.

O que o grande apóstolo tinha a dizer sobre a morte? Sua resposta revela o abismo que separa o cristão do não cristão. A morte não é vista pelo cristão como muralha, mas sim como ponte. Por meio dela, o cristão é introduzido no reino onde o pecado não habita. No mundo cujo acesso é facultado pela morte não há miséria, velhice, morte, injustiça, desigualdade, medo, competição, exploração. O corpo, com suas limitações e corrupções, é deixado para trás como uma roupa velha ou uma morada inabitável. Ao atravessar o Jordão, o cristão terá dificuldade de entender como conseguiu viver em meio a tamanho desconforto e insegurança. Por isso, a morte lhe apresenta seu rosto amável.

Nesse reino glorioso, ele ficará definitivamente livre das suas contradições morais. Sua vida será apenas amor. No mundo em que vivemos, não há paralelo para a beleza da cidade santa. Um lar, preparado em amor, aguarda os redimidos a fim de viverem em eterno aconchego sob as asas de Deus.

O morrer é lucro porque, no minuto seguinte à partida desse mundo, o cristão passará a conhecer teologia mais do que todos os teólogos de todos os tempos. No reino de Cristo não há fé, apenas visão beatífica.

O teste para nós cristãos sabermos se Cristo é o sentido da nossa existência consiste nas respostas para algumas perguntas simples e objetivas: Como gastamos nosso tempo? O que ocupa nosso pensamento? O que lemos? Qual a maior ambição de nossa vida? Diz Martyn Lloyd-Jones: "Uma característica do amor é que sempre estamos pensando no seu objeto".[30]

> **1.22** *Entretanto, se eu continuar vivendo, poderei ainda fazer algum trabalho frutífero. Assim, não sei o que devo escolher.*

O cristão não tem problema em falar sobre a morte. O grande adversário dos homens, que a todos esbofeteia, zombando de suas pretensões à felicidade, é visto na fé cristã como magnífica manifestação da graça divina, capaz de transformar maldição em bênção. O salário do pecado é a morte. O preço pago por Cristo pelos pecados dos homens transforma o salário do pecado em dom. O salário da fé é a morte em Cristo.

Paulo podia antever o que o aguardava. A reunião repleta de gratidão dos militantes que agora celebram o seu triunfo. Guerreiros que entraram no seu eterno descanso. Porém, ele volta os olhos para esta presente vida. Olha para um mundo cego pela sua perversidade e perverso por ser cego. Mundo carente da verdade, verdade que só pode ser encontrada no evangelho.

Assim, ele pensa em si mesmo: o que Deus estava fazendo por meio de sua vida dentro daquele cárcere e o que poderia fazer caso ele fosse solto. Estamos diante de um homem que sabia que carregava em seu ser algo que, se compartilhado com o mundo, transformaria a vida de pessoas. *Se eu continuar vivendo...* Se aprouver a Deus que minha vida biológica seja preservada, o que farei? Não havia dúvida de que ele a dedicaria para o cumprimento do seu chamado. Ele a ofereceria aos seres humanos.

Pensar nas igrejas edificadas, nos novos convertidos e na glorificação do nome de Cristo o fazia desejar a vida, por mais que a morte representasse o retorno ao lar. Ele sabia que havia um trabalho a ser feito cujos resultados na vida das pessoas produziria frutos eternos. Que bela imagem da experiência cristã!

Temos aqui o retrato de um homem pressionado por ambos os lados: entrar na posse da promessa ou levar pessoas a terem direito à promessa. Não consigo encontrar sentido para a existência humana que se mostre incapaz de remeter os seres humanos para essa indecisão. Há vida depois da morte. Há vida antes da morte. É para esse tipo de vida que o cristianismo nos chama.

---

[30] Martyn LLOYD-JONES, *The Life of Joy and Peace: An Exposition of Phillipians*, p. 92.

1.23 *Estou cercado pelos dois lados, tendo o desejo de partir e estar com Cristo, o que é incomparavelmente melhor.*

Paulo se vê num caminho estreito entre dois muros. Sua natureza regenerada o impelia em duas direções. Aqui estamos perante a descrição do estado de alma de um ser humano que recebeu uma nova natureza. A paixão por Cristo regula a totalidade da vida. Esse amor assume duas direções. Estar na presença de Cristo neste mundo, estar na presença de Cristo na glória. Viver para Cristo a fim de que ele se torne conhecido dos homens. Viver para Cristo a fim de conhecê-lo na glória.

Prevalece no seu espírito o anelo por desfazer logo o acampamento, atravessar o Jordão e entrar na terra da promessa. O *desejo de partir* nos remete para o ato de desmontar o tabernáculo ou desfazer o acampamento a fim de prosseguir viagem. Paulo sentia o desejo de deixar imediatamente a presente e difícil forma de viver a fim de estar com Cristo.

Não se trata de uma pessoa que busca covardemente fugir do mundo, nem de alguém que de modo mórbido anseia pela morte. O que os olhos da fé contemplavam exercia completo fascínio sobre sua alma. Ele via Cristo no esplendor de sua glória. Aquele que mais o conhecia, mais o amava e para quem convergiam seus afetos de encontrar no universo um objeto de adoração. Estar com Cristo era incomparavelmente melhor. Não conheço ninguém que possa ser mais feliz do que o ser humano cujos olhos atravessam a morte a fim de divisar a face daquele que é Leão e Cordeiro, majestoso, todo-poderoso, soberano, doce, misericordioso, humilde de coração. Ninguém nos é mais íntimo do que ele. Não o conhecemos como poderíamos conhecê-lo, mas quando aquele dia chegar, descobriremos que ninguém conheceu melhor nossa vida, do berço à sepultura, do que aquele que nos escolheu antes da fundação do mundo para segui-lo. O céu do cristão é Cristo.

1.24 *Mas, por causa de vocês, é mais necessário que eu continue a viver.*

Como a igreja é preciosa aos olhos de Deus: *por causa de vocês*. Deus sempre terá um povo no mundo. Conseguir separar a verdadeira igreja da escuridão presente nas instituições religiosas é condição indispensável para que continuemos a servi-la. A verdadeira igreja, apesar das suas imperfeições, é portadora de beleza, dignidade e valor que deveriam tornar o nosso serviço a ela um dos objetivos da nossa existência.

Havia pessoas a ser fortalecidas, consoladas, encorajadas, santificadas e edificadas pelo ministério do apóstolo Paulo. Abaixo de Cristo, nada mobilizava mais o seu ser do que a causa da igreja. O serviço aos cristãos jamais deveria ser desprezado por nós, uma vez que cuidar da igreja significa cuidar da menina dos olhos de Deus.

Apesar de tudo o que representava para ele e para Cristo a sua despedida desta presente vida, era mais excelente, proveitoso e oportuno que ele adiasse a plena realização de sua felicidade a fim de dedicar-se ao serviço aos santos. Deus haveria de manter seu batimento cardíaco porque ainda havia uma obra a ser feita na vida dos cristãos do primeiro século por meio do ministério de Paulo. É certo que não morreremos enquanto não cumprirmos plenamente a missão que nos foi dada de edificar a igreja de Cristo. É da vontade do Criador que você e eu carreguemos por toda a eternidade esse registro de dedicação ao povo eleito. Deus, portanto, nos mantém vivos para que a igreja seja edificada por meio de nós. Aspirar a vida santa é melhor do que aspirar a vida longa.

> **1.25** *E, convencido disto, estou certo de que ficarei e permanecerei com todos vocês, para que progridam e tenham alegria na fé.*

Havia sido formada no espírito do apóstolo Paulo uma certeza quanto à sua soltura e reencontro com a igreja de Filipos. O texto não declara que ele havia recebido uma profecia ou revelação sobrenatural. Ele apenas afirma que estava certo de que seu julgamento implicaria na sua libertação.

Essa é uma das áreas mais problemáticas da vida cristã. O Espírito Santo pode conduzir nossa mente e coração para a firme certeza de que a providência divina realizará algo objetivo em nossa vida e ministério. Uma certeza, em não poucas ocasiões, incompartilhável, pois trata-se da comunhão íntima dos santos com seu Deus. Por isso, devemos ser pacientes e nem sempre esperar que todos os que nos cercam, até mesmo os mais íntimos, entendam o que se passa conosco.

Mas, pode acontecer de aqueles que não concordam com nossas supostas intuições espirituais estarem certos. É possível que creiamos que está para acontecer aquilo que queremos de modo egoísta que aconteça. Nem sempre nossos desejos estão em consonância com os propósitos divinos. Por isso, a importância de submetermos o que sentimos a certos testes. Algumas perguntas devem sempre ser respondidas nessas horas. A convicção que se apossou de meu coração se ajusta à vontade moral de Deus? Glorifica a Deus? É razoável? Já foi submetida à avaliação de cristãos maduros? A providência emite algum sinal de que esse é o caminho que deve ser tomado?

O retorno de Paulo a Filipos significaria o céu na terra para a vida da igreja. Deveríamos representar sempre para a vida de toda igreja uma presença que faz todos desejarem a companhia de Deus e o cumprimento de sua vontade.

Sua meta era fazer a igreja se desenvolver. Havia compreensão doutrinária a ser ampliada e aprofundada. Nenhuma igreja possui conhecimento teológico perfeito. A igreja seria também conduzida a praticar de modo mais simétrico o amor pelos homens e por Deus. Há sempre campo a ser avançado nas áreas da teologia e da santificação. Eis um dos motivos pelos quais deveríamos ser longânimos com a igreja.

Paulo se preocupava com doutrina e prática. Certamente, estava incluído em seus objetivos o aspecto experimental da fé. Ele sonhava em provar de um novo pentecostes na igreja, uma vez que no primeiro século as igrejas se reuniam sob a expectativa de o sobrenatural irromper em seus cultos. Mas havia também uma preocupação com o espírito em que a verdade era estudada e o cristianismo era vivido pelos crentes de Filipos. Paulo ansiava pelo desabrochar de uma igreja alegre. Ele anelava por essa nota de espontaneidade na vida cristã, que flui da alegria proveniente do conhecimento da verdade e do contato pessoal com Cristo.

A fé é o fundamento do progresso e a alegria da igreja. Fé pode representar nessa passagem tanto a firme confiança no perdão de pecados que Cristo oferece no seu evangelho quanto o evangelho em si. Não há crescimento nem felicidade numa igreja que não crê no evangelho. O comportamento cristão é sempre consciente. O cristão faz o que faz e sente o que sente por força da fé implantada em sua mente e coração pelo Espírito Santo. Não há espaço na verdadeira espiritualidade para cristianismo sem conteúdo.

> **1.26** *Desse modo, vocês terão mais motivo para se gloriarem em Cristo Jesus por minha causa, pela minha presença, de novo, no meio de vocês.*

As consequências do retorno do apóstolo Paulo à igreja de Filipos levariam seus membros a se gabarem em Cristo. Sabemos que na língua portuguesa o verbo "gabar" tem sempre uma conotação pejorativa. Contudo, aqui é a resposta natural do cristão verdadeiro à bênção recebida.

O sentido não é o de se sentir superior a quem quer que seja. Trata-se simplesmente de alguém que tomou consciência do recebimento de uma extraordinária manifestação do amor de Deus, e que vira-se para si mesmo e diz: "Como Deus me ama!". Observe que Cristo é a esfera dessa alegria, que faz cristão virar para cristão e declarar: "Como nossa vida tem sido coberta de privilégios espirituais!". Os cristãos filipenses se gloriariam em Cristo pelo fato de Cristo fazê-los aproximarem-se de Deus por meio do apóstolo.

É grande expressão do amor de Deus pela vida de uma igreja o Espírito Santo enviar para o seu seio pregadores santos, ungidos, eruditos na Palavra, por meio de cuja vida a igreja é levada a crescer e a provar da alegria que vem da fé. Esses homens revelam especial graça para ajudar a igreja a conhecer a verdade, contemplar a beleza da verdade e anelar por participar da beleza da verdade. Que jamais os menosprezemos!

> **1.27** *Acima de tudo, vivam de modo digno do evangelho de Cristo, para que, ou indo até aí para vê-los ou estando ausente, eu ouça a respeito de vocês que estão firmes em um só espírito, como uma só alma, lutando juntos pela fé do evangelho.*

A igreja é uma nação entre as nações. Tornar-se cristão significa mudar de cidadania: "Ele nos libertou do poder das trevas e nos transportou para o Reino do seu Filho amado, em quem temos a redenção, a remissão dos pecados" (Cl 1.13-14). Esse é precisamente o sentido do verbo "viver". Paulo simplesmente pede que os cristãos de Filipos vivessem como cidadãos do reino.

Esse tema lhes era muito caro. Filipos era uma colônia do Império Romano, composta por homens que se orgulhavam de possuir a cidadania romana. Pessoas que tinham consciência dos seus privilégios e deveres. Sabiam que estavam associadas a algo extraordinário: um reino que não encontrava rival no século primeiro.

Paulo os chama para pensar num fato: agora que vocês são cristãos, tornaram-se possuidores de uma dupla cidadania. Vocês pertencem ao Império Romano, mas acima de tudo pertencem ao reino de Cristo. Antes de serem cidadãos de Roma, vocês são cidadãos da Nova Jerusalém. O que significa viver como cidadão do reino de Cristo? Significa exercer a cidadania cristã de modo digno do evangelho. O evangelho deve regular tudo. Os motivos são evidentes.

Entramos no reino de Cristo por meio da fé no evangelho. Essa é a mensagem na qual dizemos acreditar. Devido ao teor glorioso da mensagem central de Cristo, quem a acolheu na mente e no coração tem a vida alterada por completo em todas as suas esferas. Cristianismo não significa moralidade com pitada de emoção. Ser cristão é possuir uma nova natureza. É ser recriado.

O evangelho pede incialmente apenas fé. Somos chamados a crer no amor gracioso de Deus que está em Jesus Cristo, que promete perdão para todo aquele que nele crê. Contudo, há uma ética que se apresenta ao que voltou para a casa do Pai e foi por ele acolhido como se jamais tivesse pecado. A fé no evangelho conduz à espécie de comportamento que é própria da natureza do encontro com Cristo. É da natureza dessa redenção o encontro com um Cristo misericordioso, paciente, gracioso, doce. Como alguém que a Cristo chegou, conduzido pelo Espírito Santo, após ter sido moído pela lei, e no seu Salvador encontrou amor e consequente descanso para sua alma, não terá a história subsequente de sua existência condicionada por essa grande e espantosa redenção? Há uma vida que flui natural e espontaneamente do encontro com o Cristo que perdoa pecados.

Cristo chama sua igreja para convidar homens e mulheres a entrarem conscientemente no seu reino. Sua meta é ter cidadãos do reino espalhados em todos os reinos do mundo. Não existe, vale ressaltar, meio mais eficaz para que pessoas mudem de lealdade, deixando de servir às trevas a fim de servir a Cristo, do que em cada nação serem encontrados cristãos cuja vida revela o caráter dos cidadãos do reino de Cristo. Esse reino quer ser visto como uma cidade edificada sobre um monte. Todas as nações deveriam voltar seus olhos para o reino de Cristo a fim de anelarem imitar o modo de vida de seus cidadãos.

O que Paulo pedia, portanto, é que os cristãos vivessem de modo apropriado ao conteúdo do evangelho de Cristo. É evidente que não teremos uma igreja que viva à altura de tão glorioso chamado se seus membros, embora conheçam a Bíblia, não conhecem o evangelho.

Esse evangelho é chamado de evangelho de Cristo. Seu conteúdo é Cristo. É o Cristo que foi enviado pelo Pai a fim de aplacar a sua ira. Cristo é a oferta que o Pai faz a si mesmo a fim de perdoar de modo justo os seres humanos.

O apóstolo Paulo esperava que, entre o envio dessa carta e o seu contato pessoal com a igreja de Filipos, chegasse a ele a notícia de que os cristãos da cidade estavam vivendo de modo digno do evangelho. Não basta pregar com exatidão o evangelho. É necessário que o mundo veja que os cristãos se comportam de acordo com aquilo que creem. Assim é a vida cristã. Sempre baseada em doutrina, em pensamento, em compreensão da sua razão de ser. Os cristãos são o que são em razão do evangelho ser o que é. A mensagem de Cristo fez surgir um novo tipo de ser humano.

As implicações morais da fé no evangelho de Cristo são incontáveis. Nessa passagem, Paulo destaca alguns itens do que é consequência ética da fé no evangelho. Os cristãos devem ter firmeza: capacidade de não saírem dos seus postos na hora da batalha. Como declara de maneira comovente F. B. Meyer:

> O que o mundo necessita não é o momentâneo fulgor do meteoro passageiro, mas do constante reluzir de uma estrela permanente. Não importa que a intensa tormenta o açoite na cara, tratando de desalojá-lo de seu lugar, ou que lhe pareça que

se esqueceram de você no seu solitário posto de responsabilidade; sempre permaneça firme: pode ser que sobre sua tenaz resistência gire toda a situação, e que o êxito da campanha dependa de sua firmeza, em você resistir sem vacilar.[31]

Os cristãos deveriam ser obstinados pela preservação da unidade da igreja. O apóstolo Paulo ressalta uma unidade integral: espírito e alma. Eles devem se manter unidos no espírito que regula tudo o que fazem, sentem e pensam, fruto da ação do Espírito Santo. Essa unidade deve também ser de alma, sede das sensações e dos desejos. A alma pode ser considerada a parte do indivíduo que recebe impressões na vida pessoal do espírito (o princípio de vida divino mais elevado) e do mundo exterior.[32] Em suma, Paulo fala de uma igreja que, apesar da sua diversidade, age como se fosse um só homem.

Unida nessa extensão, a igreja estará apta a travar a luta pela fé no evangelho. Paulo percebia, já no primeiro século, o que Cristo havia predito, e o que, por motivos óbvios, inevitavelmente aconteceria se o evangelho fosse pregado com fidelidade pela igreja: a oposição do mundo seria inevitável.

Por que a pregação atraía tamanha oposição? Porque a mensagem do evangelho é ofensiva. Ela chama o homem de pecador. Ninguém gosta de ouvir isso. Tão odioso quanto ser chamado de pecador é ser considerado escravo do pecado, possuidor de dívida impagável e carente de redenção. Não há pregação do evangelho sem oposição dos homens.

Paulo declara que os cristãos devem, ombro a ombro, participar dessa batalha. Vale ressaltar que a luta pressupõe um evangelho a ser defendido. Cada igreja deve se sujeitar a frequente autoexame a fim de saber se os seus membros conhecem o evangelho, creem no evangelho e vivem no espírito do evangelho.

> **1.28** *E que em nada se sentem intimidados pelos adversários. Pois o que para eles é prova evidente de perdição para vocês é sinal de salvação, e isto da parte de Deus.*

O evangelho sempre terá adversários. Dentro e fora das instituições religiosas. O conteúdo básico da sua mensagem soará ofensivo. Não há boas-novas sem a apresentação das "más novas". Como não há perdão para quem não se vê como pecador, a igreja se verá sempre diante da espinhosa tarefa de denunciar a rebelião, que está em curso neste planeta, contra o Rei do universo. Ninguém gosta de saber que sua vida está ligada às grandes desgraças ocorridas na história da humanidade, uma vez que os princípios que regem o microcosmo da

---

[31] F. B. MEYER, *Ciudadanos del Cielo*, p. 66.
[32] Marvin VINCENT, *Philippians and Philemon — International Critical Commentary*, 1280 (E-book Kindle).

vida de cada um de nós são os mesmos presentes na conduta dos grandes perpetradores de violações de direito.

Religiosos e não religiosos ficarão ofendidos com os posicionamentos éticos dos cristãos, que fluem da sua compreensão do que de mais básico pode ser encontrado na mensagem do evangelho. A mensagem de Cristo move os seus discípulos a condenar a concentração de riqueza, a exploração da mão de obra da classe trabalhadora, o totalitarismo, as ideologias antidemocráticas. A lista é longa. Como ser cristão e não ser profeta? Como anunciar o perdão e não protestar contra a prática do que o torna necessário?

Os métodos dos adversários são os mais diversos, tanto na sua tentativa de silenciar os pregadores do evangelho, quanto no seu nível de contundência. Pode ir da expulsão da igreja à ameaça de morte.

O apóstolo Paulo exorta a igreja a não se deixar intimidar. A palavra original traduzida por *intimidados* sugere o proceder de um cavalo assustado que salta e corre loucamente, e assim expressa o espanto ou pânico cego de alguém que não quer encarar o inimigo por crer que ele é invencível.[33] A igreja não é chamada, obviamente, a se tornar presa fácil nas mãos de seus adversários, a manter comportamento temerário e abrir mão de estratégias que considerem a prudência. O que não pode jamais ser feito, entretanto, é a igreja se calar por covardia.

Quem está na ponta do trabalho missionário ou profético sofrendo perseguição deve se lembrar de que os algozes da verdadeira igreja serão julgados por Deus. Seu comportamento é sinal eloquente de que eles estão expostos ao justo juízo de Deus e não serão poupados caso não se arrependam. Alguns deles sofrerão ainda em vida o golpe desferido pelo defensor dos santos. Nessas horas, a igreja passa a entender a necessidade de interceder pelos seus adversários. Outros somente após a sua morte tomarão consciência do quanto desagradaram a Deus ao fazerem oposição à sua oferta de salvação. A natureza dessa perdição é assustadora. Não se escandalize com ela. Deus jamais pune inocentes.

A perseverança dos santos, em meio aos ataques praticados pelos seus adversários, é sinal eloquente da sua salvação. É certo que Deus lhes fará justiça e que um dia brilharão como as estrelas. Seu histórico de serviço à causa do evangelho os acompanhará por toda a eternidade. Deus os honrará.

O todo da história da obra missionária deve ser visto à luz da soberania divina. As perseguições são reguladas por Deus. O evangelho avança porque

---

[33] F. B. MEYER, *Ciudadanos del Cielo*, p. 68.

as portas do inferno não prevalecerão contra a igreja (Mt 16.18). À frente da batalha vai aquele que venceu o mundo. A salvação dos porta-vozes da mensagem da redenção será levada a cabo pelo próprio Deus. Quem galardoará a igreja — colocando uma coroa na cabeça dos redimidos, honrando cada servo de Cristo que expôs a sua vida aos riscos de perdas e mortes — será o próprio Criador do universo. Não há honra maior na vida do que servir a Cristo e por ele sofrer afrontas.

> **1.29** *Porque vocês receberam a graça de sofrer por Cristo, e não somente de crer nele.* Havia graça na perseguição sofrida.

Nisso consiste a arte da vida cristã autêntica: divisar a graça de Deus nos problemas da vida. Observemos que o apóstolo Paulo não estimula o vitimismo. A última coisa que ele queria era uma igreja com pena de si mesma, duvidando dos desígnios de Deus, filosofando sobre o problema do sofrimento, acuada pelo medo do adversário. Cabia àqueles cristãos do primeiro século tirar os olhos de si mesmos e voltá-los para um mundo carente de Cristo.

Ele chama todos a entenderem que ser perseguido por causa do evangelho é alto privilégio a ser vivido por homens e mulheres que foram objeto da graça especial de Deus. As dores não eram pequenas. Envolvia perder espaço na sociedade, provar de menosprezo, parar numa prisão e ser executado.

Em que consiste a graça de sofrer por Cristo? Primeiro, suportar afrontas e ameaças por amor ao evangelho é sinal evidente de novo nascimento. Como afirma J. B. Lightfoot: "Deus lhes concedeu o alto privilégio de sofrerem por Cristo; esse é o mais certo sinal de que ele olha para vocês com favor".[34] Em segundo lugar, a preservação de um bom testemunho, apesar da perseguição diabólica sofrida por causa do evangelho, costuma ser usada por Deus para que o mundo ouça a igreja e se converta. Em terceiro lugar, as mais doces e comoventes manifestações do amor de Deus na vida dos seus estimados servos costumam ocorrer nas horas em que a igreja vai para a cruz com Cristo a fim de oferecer oportunidade de salvação ao mundo. Por fim, a dor sofrida por força da fidelidade ao evangelho fará parte da biografia eterna dos redimidos. É grande evidência do favor imerecido de Deus um ser humano provar de tão gloriosas bênçãos.

Calvino declara que a fé, tanto quanto a constância em suportar perseguições, é um dom imerecido de Deus.[35] A graça que separa, regenera, abre o

---

[34] J. B. Lightfoot, *Philippians*, p. 121.
[35] João Calvino, *Série Comentários Bíblicos: Gálatas, Efésios, Filipenses e Colossenses*, 412 (E-book Kindle).

entendimento, faz a fé nascer, converte e santifica é a mesma graça que guia providencialmente o curso da história dos discípulos de Cristo a fim de que esses sofram por amor à causa do evangelho.

Em tudo o que acabamos de ver, podemos observar o testemunho do apóstolo, que age como um comandante, capaz de virar-se para sua tropa e bradar: "Avancem, avancem, avancem!". Ele sabia que fiel é aquele que nos chama.

> **1.30** *Pois vocês têm o mesmo combate que viram em mim e que agora estão ouvindo que continuo a ter.*

O apóstolo Paulo sabia o preço que a igreja estava pagando pelo compromisso com a proclamação do evangelho. A sua pregação havia trazido salvação e problemas para a vida dos moradores de Filipos.

O pastor tem de demonstrar interesse pelo bem-estar da igreja. Conhecer suas dores, não ignorar o custo da lealdade dos seus membros a Cristo e manifestar empatia são atitudes essenciais para o ministério de qualquer pessoa em cargo de liderança na igreja. Líderes cristãos podem ficar tão obcecados com a realização dos seus projetos pessoais a ponto de não perceberem as dificuldades enfrentadas por aqueles que com eles trabalham. Não há espaço na verdadeira igreja para a exploração da mão de obra missionária. Isso é péssimo testemunho e traz amargura para a vida de quem se sente usado pela liderança eclesiástica.

Tão importante quanto demonstrar solidariedade na dor é liderar pelo exemplo. O que Paulo pedia da igreja ele mesmo estava praticando. Ele não era encontrado dizendo: "Vão e façam!" Mas, sim: "Vamos e façamos". Ele fazia a igreja avançar permanecendo inabalável à frente da batalha.

Olhar para o exemplo desse gigante da fé seria decisivo para os cristãos daqueles anos em que a fé cristã gradativamente era disseminada no mundo. Ao manter em mente o seu exemplo de vida, todos podiam testemunhar o quanto Deus usava seus sofrimentos para o progresso do evangelho, mantinha-se fiel ao seu vaso escolhido e fazia seu exemplo ser seguido pela igreja. Nada abençoou mais a igreja no decurso da sua história do que a teologia que prevaleceu na vida do pregador que foi visto pagando elevado preço pelo seu compromisso com a verdade. Esses homens são indispensáveis para a igreja de Cristo.

FILIPENSES 2

> **2.1** *Portanto, se existe alguma exortação em Cristo, alguma consolação de amor, alguma comunhão do Espírito, se há profundo afeto e sentimento de compaixão.*

Poucas passagens bíblicas mostram em tal extensão a distância entre a igreja e o mundo. O grande problema com a sociedade não cristã reside no fato de uma exortação como essa não poder ser feita aos homens a fim de que vivam em união, concórdia e socorro mútuo.

Paulo anseia pela unidade da igreja. O estrago causado pela queda do homem foi tamanho, que exortações como essa são necessárias para os cristãos viverem em harmonia. Não podemos, portanto, nos iludir quanto ao mundo, esperando que ele funcione como a igreja descrita em Atos 2. Para tal, é indispensável que os seres humanos creiam no Cristo ressurreto, sejam habitação do Espírito Santo e se vejam como irmãos:

> E perseveravam na doutrina dos apóstolos e na comunhão, no partir do pão e nas orações. Em cada alma havia temor; e muitos prodígios e sinais eram feitos por meio dos apóstolos. Todos os que criam estavam juntos e tinham tudo em comum. Vendiam as suas propriedades e bens, distribuindo o produto entre todos, à medida que alguém tinha necessidade.
>
> Atos 2.42-45

Não podemos também nos iludir quanto à igreja. Cristãos podem ser encontrados se odiando. Uma questão precisa ser tratada: como manter a unidade da igreja? O verso que estamos examinando aponta o caminho. A unidade da igreja só é viável se os seus membros, por terem passado pela real experiência de conversão, podem ser exortados a agir a partir das pressuposições apresentadas pelo apóstolo Paulo. Ele sabia que havia uma autêntica igreja em Filipos, por essa razão ele se dirige a todos, partindo da certeza de que eles haviam passado por uma experiência com Cristo que os habilitava a receber esse apelo à unidade.

A igreja havia provado do amor de Deus; por isso seus membros poderiam provar do amor mútuo que mantém a igreja unida, apesar do que a pressiona à divisão. Eles haviam sido encorajados por Cristo: *se existe alguma exortação em Cristo, alguma consolação de amor...* Conheceram o amor que levanta o abatido, orienta o confuso, perdoa o culpado. Cristo havia se revelado à igreja como um Salvador bem presente na hora da tribulação. O ponto é claro: aquele amor recebido deveria condicionar o modo como os membros da igreja tratavam uns aos outros.

Eles tornaram-se habitação do Espírito Santo. Mantinham comunhão com Deus e uns com os outros por meio do mesmo Espírito. Se todos estavam espiritualmente ligados a Deus pelo mesmo poder santo e pessoal que os animava, santificava e iluminava, não fazia o mínimo sentido romperem o vínculo orgânico que os tornara membros da mesma família.

Eles haviam também provado das entranhas do amor de Deus e da compaixão que os socorreu quando, no seu sofrimento proveniente da culpa moral, não dispunham de recursos para se salvar. Esse amor havia sido derramado no coração deles a fim de que compaixão entranhável marcasse os relacionamentos dentro da igreja.

Por que essa exortação? Esse era o único modo da igreja suportar a pressão externa, não afastar o Espírito Santo das suas assembleias e testemunhar ao mundo os efeitos da presença de Cristo na vida dos redimidos. A igreja deve ser o que ela é. Como, porém, nada em sua vida funciona no automático, exortações como essas precisam ser sempre feitas. O ambiente da igreja deveria ser insuportável para quem quiser trazer espírito diferente para dentro da comunidade da fé. Os irritadiços, iracundos, divisionistas, temperamentais deveriam ser confrontados em amor e chamados ao arrependimento. Alguém tem de virar para essa pessoa e dizer: "Irmão, entre nós não é assim. Somos cristãos".

> **2.2** *Então completem a minha alegria, tendo o mesmo modo de pensar, tendo o mesmo amor e sendo unidos de alma e mente.*

Apesar das circunstâncias adversas, o apóstolo Paulo provava de elevados momentos de alegria na prisão. A igreja de Filipos o encantava, o evangelho avançava em Roma e Deus fazia companhia a ele no cárcere. Contudo, no verso 2, ele fala de uma alegria que poderia ser mais ampla. Vale ressaltar que ele estava preso. Impressiona o fato de ele preocupar-se com algo mais além da sua libertação.

A alegria pela qual aguardava nos ajuda a ter ideia do lugar que a igreja ocupava em seu coração. Somente um preconceito arraigado associado a um profundo ressentimento em relação à igreja para não enxergarmos, nos versos que examinamos, a impossibilidade de separarmos a vida cristã autêntica do compromisso com uma igreja local. O apóstolo declara esperar que os cristãos de Filipos estivessem empenhados em fazer o seu cálice de felicidade se tornar completo. Quem ama a Cristo ama o que Cristo ama. A compreensão do amor de Cristo pela igreja deveria nos levar a fixar nossos afetos na vida de cada discípulo de Cristo, conduzindo-nos a nos empenhar pela harmonia de relacionamento entre os cristãos no âmbito de cada igreja local.

Ele clama para que todos se empenhassem por um mesmo modo de pensar. Ele não está pedindo uniformidade. Não há a mínima menção à paz do cemitério, que somente existe porque ninguém é capaz de ser autêntico e dizer o que pensa. Todos deveriam, entretanto, por saberem que a verdade é uma só, lutar por uma harmonia de pensamento a mais ampla possível. A fim de que uma afinidade rara de pensamento seja encontrada, todos precisam estar conscientes de uma verdade indiscutível: não há como os cristãos fazerem leituras semelhantes ou idênticas sobre os fatos da vida se a atmosfera da igreja não estiver impregnada pelo evangelho de Cristo. Todos devem ter o mesmo ponto de vista sobre a inspiração da Bíblia e ser versados nas suas principais doutrinas.

Sabemos, entretanto, que divisões ocorrem entre cristãos membros de igrejas ortodoxas. Por isso, certamente, quando Paulo fala *tendo o mesmo modo de pensar*, está pensando numa mesma forma de usar a mente. As avaliações racionais baseadas em sólida teologia deveriam estar sob a influência de um espírito de amor. Ele está preocupado com a propensão da mente, o espírito da mente, o princípio que a faz operar de uma determinada maneira. Jamais a igreja manterá sua unidade de pensamento se o modo como aplica a verdade às controvérsias da vida não for regido pelo interesse pela glória de Deus, pelo avanço do reino de Cristo e por aquele amor à verdade que faz o crente ficar do lado da verdade mesmo nas ocasiões nas quais a verdade é contra os seus interesses particulares.

Essa unidade não deve ser a unidade das facções criminosas. Não é união em torno do mal. Paulo a chama de unidade em amor. Pessoas estão unidas porque se amam e amam o que deve ser amado. Esse amor deveria conduzir cada crente a lutar por viabilizar a santificação dos seus irmãos na fé.

Nesse ponto, não podemos ser românticos, defendendo de modo tolo a unidade à custa da verdade. O compromisso com o evangelho deve anteceder o compromisso com a preservação da unidade da igreja. Essa unidade não pode jamais representar a aquiescência dos cristãos maduros a comportamentos e ensinos que causem escândalo aos de fora, façam pessoas desenvolverem um conceito estapafúrdio do evangelho e estimule uma harmonia carnal que desfigura o testemunho da igreja.

Há motivos para sermos unidos de "alma e mente". Eles são abundantes. Pode haver entre nós harmonia de sentimento e pensamento. Somos animados pelo mesmo espírito, cremos no mesmo evangelho, servimos ao mesmo Senhor, passamos pela mesma experiência de terror causado pela lei e alegria indizível causada pelo evangelho. É possível vivermos em paz ainda que o modo de aplicarmos as verdades cristãs à vida varie entre nós. Em suma, a divisão não está condenada, a cisão, sim. Há momentos em que a divisão é exigência da fidelidade à verdade. A cisão é de natureza completamente diferente, uma vez que significa cristãos se separarem sem que haja motivo justo para a separação.

> **2.3** *Não façam nada por interesse pessoal ou vaidade, mas por humildade, cada um considerando os outros superiores a si mesmo.*

Não conheço verso mais negligenciado na história do cristianismo do que esse. Qualquer olhar retrospectivo para a história da fé cristã nos faz indagar: por que os seguidores de Jesus Cristo se dividem tanto? Esse mandamento e alerta do apóstolo Paulo mostra que nos dividimos não por a revelação ser confusa ou o ideal da unidade cristã presente na mensagem de Cristo e dos apóstolos ser romântico. Divisões ocorrem entre nós porque ignoramos, não nos envergonhamos e não confrontamos o que resta de Adão em nós.

Assim que uma igreja é plantada, logo seus membros passam a se dedicar a uma série de atividades. Pessoas são estimuladas a agir. O apóstolo pensa nos motivos pecaminosos de muito do que é feito dentro da igreja, em nome da fé. Não há unidade doutrinária capaz de manter a unidade na presença das motivações que Paulo faz questão de desmascarar.

Ele condena, em primeiro lugar, a atitude que tem como objetivo o interesse próprio. Observa-se na sua mensagem uma atitude bem pós-moderna. Ele levanta a suspeita. Leva os leitores da sua carta a praticarem a autossuspeita. Sempre que tomamos decisão na vida devemos perguntar: a quem estou servindo nesse momento? Sem a mínima dúvida, ele fala a partir do que podia se lembrar das suas experiências dentro da sinagoga. A instituição religiosa costuma ser usada para a obtenção de benefícios pessoais egoístas.

O interesse próprio pode condicionar a elaboração do pensamento teológico e a aplicação das suas consequências práticas. Pessoas podem se silenciar quanto a erros doutrinários e morais ou até mesmo promovê-los em razão de isso lhes ser conveniente. Não há igreja que subsista a tamanho egoísmo.

Precisamos sondar nosso coração a fim de exigir dele resposta objetiva para a seguinte pergunta: para quem estou trabalhando nesse momento?

Em seguida, o apóstolo Paulo menciona a vaidade ou vanglória. Há em toda igreja pessoas que superestimam sua capacidade intelectual, equilíbrio emocional e conduta moral. Julgam que devem ser tratadas com deferência em razão do seu suposto nível de excelência, equilíbrio e capacidade. Parte das discórdias começa justamente nesse ponto: essa gente se eleva, mas não falta na igreja quem queira trazê-la de volta para o mundo dos mortais. Seu reinado é rejeitado pelos demais irmãos.

Por sua vez, essa mesma pessoa não tolera rivais. A exaltação de irmãos na fé move tal pessoa a querer rebaixá-los. Ela quer ocupar o lugar de Cristo na igreja. Recusa-se a diminuir para que Cristo cresça. Seus objetivos a fazem usar a igreja como plataforma para a sua busca por visibilidade. Ela se esquece da sua condição de mortal. Ignora o fato de ter o que tem porque Deus lhe tem sido benevolente. Ela não tem mentalidade escatológica. Nada vê à luz do juízo final. Naquele glorioso dia, seremos julgados por um Deus que não se deixa enganar.

Qual o remédio para a grande causa de todas as contendas, divisões e traumas causados pela igreja na vida dos seus próprios membros? Paulo não hesita em apresentar o que de mais importante existe: a humildade cristã.

A humildade cristã consiste no senso de criaturidade associado ao senso de pecaminosidade. O humilde é alguém confrontado pela sua insignificância metafísica. Ele sabe que deve a sua existência e a preservação da sua vida à vontade do seu Criador. Ele sabe que vive vida dura, curta e incerta. Tem consciência de que dura pouco. Sente, portanto, uma radical dependência de Deus.

Contudo, a adequada avaliação que faz da sua vida, que o leva ao mesmo tempo a não perder de vista a sua dignidade de ser portador da imagem de Deus e a insanidade de querer se exaltar sobre quem quer que seja, é de natureza moral. Ele se vê como pecador redimido pela graça. Sabe que nasceu em pecado, errou o alvo estabelecido por Deus para a existência de todo ser humano e era escravo do pecado nas suas motivações, inclinações, propensões, pensamento e vontade. O apóstolo não está falando de seres em crise de autoestima e que se odeiam. Longe disso! Os cristãos sabem que são amados, receberam nova natureza, tornaram-se habitação do Espírito Santo e caminham para a glória. Entretanto, nada atribuem a si mesmos. Surpreendem-se sempre com o favor imerecido de

Deus. Sua grande questão ética é: "Que darei ao SENHOR por todos os seus benefícios para comigo?" (Sl 116.12).

Eles não apenas sabem que a graça os elevou. Eles também têm consciência de que ainda não foram alçados ao estado de glória, honra e incorruptibilidade. Sabem que são justos e pecadores ao mesmo tempo. Por isso, pensam na possibilidade de, nas discussões com os seus irmãos na fé, estarem equivocados. Eles estão certos de que não possuem um ponto de vista privilegiado em relação aos demais seres humanos. Antes de reconhecerem o jogo de poder nos outros, conhecem-no em suas próprias motivações.

Tudo isso os leva para a tomada de uma decisão prática: considerar os outros superiores a si mesmos. Não há espaço para chamar essa ética de moral do ressentido, do fracassado, do incompetente, capaz de fazer com que a águia se nivele à galinha. O apóstolo Paulo não pede o impossível: que pessoas neguem a obviedade da diferença de talentos, aquisições intelectuais e papéis na sociedade. Tudo que ele pede é consequência da fé cristã. Quem tem um encontro com Cristo adquire tamanho conhecimento da sua pecaminosidade, que julga não ser possível que alguém possa ter pecado mais do que ele pecou. Ele sabe que há pecados ocultos na sua vida, o que não lhe dá o direito de julgar que esses mesmos pecados estejam presentes na vida de outros. O que é pedido de cada crente é o autoexame humilde, capaz de fazer com que ele pense na possibilidade de os irmãos, embora inferiores em aquisições intelectuais, recursos financeiros e posição social, sejam superiores em graça.

2.4 *Não tendo em vista somente os seus próprios interesses, mas também os dos outros.*

O evangelho não pede o impossível: o fim do amor próprio. As Escrituras têm o amor próprio como inerradicável. Ele não precisa ser ensinado. Nascemos nos amando. Não são poucos os mandamentos que vêm acompanhados de promessas que apelam para o interesse pessoal.

Sendo assim, temos os nossos *interesses*. Santos, legítimos, justos. A raiz do conflito entre os homens é o interesse próprio desvirtuado, mal compreendido, absolutizado. Paulo chama os cristãos a não dissociarem sua felicidade da felicidade daquele que deve ser considerado irmão e amado. A compreensão dessa injunção abre a porta para o correto entendimento dos pressupostos basilares da ética cristã.

O interesse próprio não deve ser desassociado do interesse do restante da comunidade da fé, uma vez que somos chamados por Deus para amá-lo e amar tudo o que ele ama. Deus ama com amor eletivo a igreja. Outro motivo para o exercício desse amor mais amplo consiste no fato de que esse amor que é dado também retorna e beneficia a todos, fazendo com que o pleno desenvolvimento de cada irmão em Cristo seja a precondição do meu próprio desenvolvimento. Como separar o que sou do que recebi por meio de cristãos do passado e do presente?

O fato é que o cristão é alguém que pode sacar os olhos de si mesmo a fim de fixá-los nas demandas dos irmãos na fé. O cristão é aquele que em Cristo herdou o universo. Ele pode se cingir de uma toalha e lavar os pés dos irmãos porque sabe quem é: amado. O nosso verdadeiro eu é um eu amado.

Por fim, há uma dimensão apologética nessa forma de os membros da igreja se relacionarem uns com os outros. Pense no que haveria de representar para a cidade de Filipos uma igreja cujo comportamento pudesse causar essa espécie de incômodo e encanto na vida dos seus moradores. Testemunhar pessoas que vivem *não tendo em vista somente os seus próprios interesses, mas também os dos outros* daria oportunidade ao mundo de imaginar como seria diferente a vida em sociedade se todos se amassem como os cristãos amam seus irmãos na fé.

2.5 *Tenham entre vocês o mesmo modo de pensar de Cristo Jesus.*

Nos versos 1 a 4 do presente capítulo, o apóstolo Paulo apresentou o sonho da unidade em amor e o que era necessário para que fosse alcançada. A partir do verso 5, ele apresenta o modelo a ser seguido, a fim de que o que dissera não se tornasse letra morta, aplicada arbitrariamente pelos membros da igreja. Filipenses 2.5-11 está entre as passagens mais belas, comoventes e importantes das Escrituras Sagradas. Nenhum texto da Bíblia o excede. O exemplo de Cristo é apresentado à igreja por meio de uma cristologia de tirar o fôlego. O Salvador é revelado e exaltado na beleza da sua glória a fim de que a igreja o ame e imite.

Tudo o que o apóstolo deseja é a criação de uma mentalidade que marque todas as relações dentro da igreja de Cristo. Ele chama cada cristão singularmente a modelar sua vida no seio da comunidade pelo exemplo de Cristo. Estamos, portanto, perante o principal vetor da vida cristã e o conceito mais basilar da doutrina da santificação. Deus nos chama para imitarmos Cristo. Ninguém é salvo por imitar Cristo, mas não há experiência de salvação que não seja seguida pelo anelo por reproduzir a vida de Cristo. Que os cristãos de todas as eras e culturas estudem, meditem e celebrem a vida dos grandes luminares da história do cristianismo, mas de modo que jamais o desejo de imitá-los suplante o anelo por imitar Cristo. Todas as biografias têm de ser avaliadas pelo seu grau de semelhança ao Senhor Jesus. Na vida de todos os santos há falta de simetria, falhas de temperamento e tendência de sujeição à cultura dos seus dias. Nisso reside a raiz de uma infinidade de problemas enfrentados pelas mais diversas tradições de espiritualidade, sempre marcadas pela forte influência da personalidade de seus principais mentores.

Os cristãos são chamados a pensar como Cristo. Se observarmos atentamente o que as Escrituras revelam sobre a pessoa de Cristo, perceberemos uma forma de pensar, uma mentalidade, uma propensão da mente, uma obsessão que governava tudo o que ele fazia. Os cristãos são chamados para conhecer o espírito do pensamento do Senhor Jesus.

> **2.6** *Que, mesmo existindo na forma de Deus, não considerou o ser igual a Deus algo que deveria ser retido a qualquer custo.*

Estamos entrando no terreno da teologia pura. Não podemos, contudo, nos esquecer de que o apóstolo Paulo tenciona usar a teologia para projetar luz sobre a ética. Nos versos 1 a 4 seu tema é a unidade da igreja. Sua meta não é apenas evitar divisões entre os cristãos. Ele anseia por uma unidade ativa de "alma e mente". A igreja atuando no mundo como se fosse um só homem.

No verso 6, ele chama a atenção de todos para o exemplo de Cristo. Sua meta é levá-los a considerar a mentalidade de Cristo: "o mesmo modo de pensar" (Fp 2.5). Pensar como Cristo é condição indispensável para que os cristãos amem seus irmãos na fé e mantenham com eles relação orgânica, como se fossem um só corpo. A questão que Paulo se propõe a responder é bastante clara: o que há na forma da mente de Cristo funcionar que a torna tão essencial para a saúde da igreja?

O apóstolo chama a atenção da igreja para a vida de Cristo antes da encarnação. O que ele destaca de tão importante para a cristologia da igreja e, consequentemente, para o modo como as relações deveriam ser reguladas em cada igreja local? Cristo *existindo na forma de Deus*. Essa é uma das declarações mais extraordinárias das Escrituras. O Cristo que nasceu de uma virgem, viveu sem pecado, operou milagres, revelou a doçura de Deus, ensinou os seres humanos a agradarem o Criador, foi torturado, morto e sepultado, subiu aos céus, de onde virá para julgar os vivos e os mortos — este Cristo é a eterna e pura expressão da natureza essencial e do caráter de Deus. Possuidor, portanto, daquelas características e qualidades que são essenciais à divindade, e verdadeiramente caracterizam o ser e atributos de

Deus. A conclusão é iniludível: há uma pluralidade de pessoas em Deus, e muito embora o Filho não deva ser confundido com o Pai, é possuidor da sua majestade, glória e perfeições. Calvino declara: "Aqui, a forma de Deus representa sua majestade. Pois como um homem é conhecido pela aparência de sua forma, assim a majestade, que resplandece em Deus, é sua figura".[1] *Na forma de Deus*, sem a mínima dúvida, significa "possuindo os atributos divinos".

Por isso, encontramos nas Escrituras essas espantosas declarações sobre a pessoa de Cristo:

> Ele é a imagem do Deus invisível, o primogênito de toda a criação.
>
> Colossenses 1.15

> O Filho, que é o resplendor da glória de Deus e a expressão exata do seu Ser, sustentando todas as coisas pela sua palavra poderosa, depois de ter feito a purificação dos pecados, assentou-se à direita da Majestade, nas alturas.
>
> Hebreus 1.3

> No princípio era o Verbo, e o Verbo estava com Deus, e o Verbo era Deus. Ele estava no princípio com Deus. Todas as coisas foram feitas por ele, e, sem ele, nada do que foi feito se fez.
>
> João 1.1-3

Desconheço verdade mais comovente. O Criador do universo, sob cujo governo soberano haveremos de viver por toda a eternidade, possui todas as características do Cristo revelado pelo Novo Testamento. Quem é Deus? O evangelho responde: olhe para Cristo para sabê-lo. Veja-o perdoando a mulher adúltera, tocando no corpo do leproso, expulsando do templo os que faziam da religião comércio, alimentando os famintos, chorando sobre Jerusalém.

O que pode ser encontrado na vida do glorioso Filho do Deus Altíssimo que não apenas nos encanta, mas também nos move a imitar sua vida? A encarnação é a resposta: *não considerou o ser igual a Deus algo que deveria ser retido a qualquer custo*. Ele não se agarrou à prerrogativa divina. Desceu a esse mundo sujeitando-se às limitações físicas dos homens, expondo-se à fome e sede, sofrendo na carne, tornando-se objeto de ódio, submetendo-se à lei como condição da salvação dos seres humanos, agonizando no Getsêmani

---

[1] João CALVINO, *Série Comentários Bíblicos: Gálatas, Efésios, Filipenses e Colossenses*, 418 (E-book Kindle).

pelos eleitos, experimentando o inferno na cruz em nosso lugar. Em suma, deixou a glória para viver neste planeta tenebroso, por amor a nós e em sujeição à vontade do Pai. Ele não veio ao mundo como um dia virá. Não se manifestou como rei, mas sim como servo, porque somente desse modo poderia redimir os pecadores.

Quais as implicações morais do exemplo de Cristo? Calvino faz um excelente comentário sobre essa declaração do apóstolo Paulo:

> A humildade de Cristo consiste em ele descer do pináculo mais elevado da glória à ignomínia mais baixa; nossa humildade consiste em refrear-nos de uma exaltação egoísta por uma falsa estima. Ele renunciou ao seu direito; tudo o que se requer de nós é que não assumamos para nós mesmos mais do que devemos... visto, pois, que o Filho de Deus desceu de uma altitude tão imensa, quão irracional seria que nós, que nada somos, tentássemos nos exaltar tão orgulhosamente.[2]

Sem esse "modo de pensar" não há igreja.

2.7 *Pelo contrário, ele se esvaziou, assumindo a forma de servo, tornando-se semelhante aos seres humanos. E, reconhecido em figura humana.*

Não há acontecimento mais extraordinário na história do universo do que a encarnação de Cristo. A simples menção desse fato deveria levar todos os seres humanos à busca por informação segura sobre ele. Não há espaço para descartá-lo sem ao menos considerá-lo. Se é verdade que o Filho de Deus veio em missão a esse mundo, assumindo a forma humana, como nós cristãos cremos, entramos num outro tipo de mundo, a história completa da humanidade tem de ser revista e, finalmente, passamos a poder falar sobre esperança.

O que perturba todos os que examinaram o relato histórico do evangelho e creram é a descoberta do modo como Cristo veio ao mundo. O apóstolo Paulo declara que ele se esvaziou. Ele não está dizendo que Cristo deixou de ser Deus. O Criador é imutável. O que está sendo ensinado é que ele tomou o que antes não tinha, embora não tenha perdido nada do que possuía. Estamos diante de uma metáfora, que busca nos ajudar a entender a estupenda manifestação do amor divino, que levou o Filho de Deus a ocultar a glória da sua natureza divina nos dias da sua encarnação.

---

[2] João CALVINO, *Série Comentários Bíblicos: Gálatas, Efésios, Filipenses e Colossenses*, 417-418 (E-book Kindle).

Ele se derramou, manifestando-se de um modo impensável para o mundo dos homens e dos anjos. Cristo criou um problema epistemológico para a fé. Como ver a realeza divina na vida de alguém que, por ter aberto mão em tal extensão das suas prerrogativas divinas, esteve entre nós não apenas como homem, mas homem de aspecto desprezível? Pense nessa majestade oculta no exato momento em que ele recebia cusparadas, açoites e humilhações por parte das tropas romanas.

Sabemos que os pais da humanidade caíram. Anjos caíram. Mas, como explicar a queda do Filho de Deus? Ele desce do céu como se tivesse sido julgado por Deus, uma vez que assume a natureza humana com todos seus condicionamentos impostos pela queda, exceto a propensão ao mal. Ele não assumiu o corpo de Adão antes da queda, mas de um homem caído.

Ele é descrito como tendo assumido a forma de servo. Sua aparência movia os homens a menosprezá-lo. Sua atitude não foi propriamente a de um rei, que cobra sujeição e serviço de todos, mas a de alguém dedicado ao trabalho humilde, que consistia em servir a Deus e aos homens. Que contraste com o "interesse pessoal ou vaidade" (Fp 2.3) daqueles cujo comportamento acarreta tanta infelicidade à igreja. As implicações morais da fé na doutrina da encarnação são avassaladoras.

Na condição de servo, ele curou os enfermos, alimentou os famintos, enxugou as lágrimas dos que sofriam, ensinou com paciência o evangelho aos seus discípulos, lavou os pés dos seus irmãos, cumpriu a lei e morreu na cruz no lugar dos pecadores. Mais do que isso, por volta do meio-dia, no poço de Samaria, declarou: "A minha comida consiste em fazer a vontade daquele que me enviou e realizar a sua obra" (Jo 4.34).

Em suma, ele tornou-se *semelhante aos seres humanos*. Por que semelhante? Porque ele, embora inteiramente homem, não deixou jamais de ser Deus de Deus. Viver no corpo no qual nascemos é um dos tormentos da vida de todos nós. Pense no que representou para o eterno Filho de Deus entrar num corpo sujeito ao processo de envelhecimento, sofrimento e morte. Mas, para assumir a forma humana, foi necessário que ele entrasse neste mundo tenebroso. A vida em sociedade nos exaspera. Todas as espécies de relacionamento humano estão marcadas pelo egoísmo e exploração. Vivemos num mundo impressionantemente perverso. Ele entrou no mundo que ele próprio condenou, e que por isso o matou. Ele foi *reconhecido em figura humana*. Quem o viu, ouviu, tocou ou se deixou tocar soube que estava perante um ser humano real.

> **2.8** *Ele se humilhou, tornando-se obediente até a morte, e morte de cruz.*

Ele se esvaziou como Deus e como homem. Lembremo-nos que o apóstolo Paulo não está falando apenas de soteriologia, mas de ética e vida cristã no âmbito de uma igreja local.

Mesmo para os padrões humanos, Cristo escolheu viver a vida mais humilde que se poderia conceber. Ele, voluntariamente, tomou o exato oposto do caminho que os seres humanos procuram tomar. A raiz de todas as desavenças que ocorrem no lar, na igreja, no ambiente de trabalho e até mesmo entre as nações é o orgulho que não tolera a indiferença, a invisibilidade, a inferioridade. Ele, contudo, escolheu ser reputado como lixo da história. As comoventes cenas do seu julgamento, condenação, tortura, crucificação e morte o revelam sendo tratado da forma mais desprezível. O fato assombroso é que ele permitiu de modo deliberado que isso lhe acontecesse. Tudo na sua vida foi humildade: dependência da solidariedade dos seres humanos que o serviam, classe social na qual nasceu e viveu, tratamento hostil que permitiu receber por parte dos homens, condescendência infinita com os constantes erros dos seus discípulos.

Sua decisão de sujeitar humildemente em tudo sua vontade à vontade do Pai o levou à mais radical vida de obediência. Obediência disposta a fazer pouco caso das bênçãos temporais a fim de que pudesse cumprir a vontade de Deus. Ele obedeceu a Deus na vida e na morte. Sua maior obsessão consistia em ser, por meio de suas ações, objeto do amor complacente daquele que o enviara para redimir os seres humanos a fim de ajudá-los a também obedecer sem reservas a Deus.

Seu amor o levou a divisar a morte como consequência direta da sua sujeição ao propósito do Pai. Ele viu de antemão o que o aguardava. Aqui temos teologia, mas, repito, ética também. O que é ter a mente de Cristo? Ser movido pelo pensamento de morrer para que outros vivam por meio da nossa morte. Diferentes espécies de morte. Morte diária. Morte nossa de cada dia.

Até a espécie de morte que ele escolheu para si foi a mais degradante. Os membros da igreja de Filipos que possuíam a cidadania romana sabiam que jamais passariam por essa espécie de pena capital. F. B. Meyer declara: "O filósofo Cícero disse certa vez que a ignomínia deveria estar longe, não dos corpos, senão também da imaginação dos cidadãos romanos. Sendo essa a maneira de morrer mais vergonhosa (em razão da nudez do corpo), a mais degradante, a mais dolorosa concebida pelo homem, o Salvador optou por ela. Não lhe foi possível rebaixar-se mais."³

Ele morreu nu. Reputado como louco, bandido, herege, falso profeta. Corpo exposto ao tempo, em agonia, pendurado num madeiro, imobilizado, lentamente morrendo perante os olhos dos que o desprezavam.

Estamos diante da nossa mais profunda consolação e do mais elevado compromisso moral. De um lado, a agonia do Filho de Deus, capaz de silenciar todas as vozes que promovem o ceticismo, a revolta contra Deus, a sensação de que se Deus existe ele é o diabo. Por outro lado, a nova referência de vida santa, que chama a você e a mim para dar a vida pelos que não são dignos do amor de Deus.

Paulo insiste: transformem essa doutrina da salvação em doutrina da santificação. Celebrem a redenção, mas obedeçam, ainda que isso os leve a parar onde Cristo parou.

> **2.9** *Por isso também Deus o exaltou sobremaneira e lhe deu o nome que está acima de todo nome.*

Não havia como Deus não vindicar tamanha manifestação de amor, submissão e humildade. *Por isso* Deus se deleitou no que viu, e chamou o universo para participar do seu amor complacente. O que o apóstolo Paulo está dizendo é que o Criador viu o que aconteceu no nosso planeta. O seu único Filho manifestou de modo tão comovente, majestoso e santo o caráter do próprio Deus ao se humilhar, "tornando-se obediente até a morte, e morte de cruz". Ele chama os cristãos de Filipos a olharem para a exaltação do Filho de Deus e pensarem nesse princípio da relação de Deus com os seres humanos: Deus tem prazer em exaltar os humildes.

O eterno pacto da redenção, feito entre o Pai, o Filho e o Espírito Santo, tinha de se cumprir. Cristo cumpriu a lei pelo seu povo e por ele morreu. Essa era a condição para que Cristo comprasse para Deus um povo, perdoado de modo justo, uma vez que a humilhação de Cristo, que resultou na sua morte, satisfez as demandas da natureza santa e justa de Deus. Por isso, o Pai exaltou o seu Unigênito, segundo a sua natureza humana e função mediadora, pois não foi dado ao Deus Filho o que ele já tinha.

Essa passagem é um golpe no ecumenismo que busca nivelar todas as religiões. É impossível examinar esse verso e não perceber o ato de profanação que consiste em botar a pessoa de Cristo ao lado de quem quer que

---

[3] F. B. Meyer, *Ciudadanos del Cielo*, p. 87.

seja. Há espaço para o amor ecumênico, que nos leva a tratar com respeito adeptos de todas as religiões, e até mesmo ao seu lado lutar por um mundo mais justo. É possível e é dever da igreja, contudo, fazê-lo sem perder de vista o lugar que o Senhor Jesus ocupa no universo. À luz da boa teologia do Novo Testamento, cada cristão é amigo, irmão e discípulo do Rei Jesus, que governa o cosmos visando à felicidade do seu povo e à glória de Deus.

Seu nome *está acima de todo nome*. Se formos levar em consideração o contexto do verso que estamos examinando, seu nome é "Senhor Jesus". O Salvador é o Rei do universo. Em nome do Senhor Jesus, os cristãos se aproximam de Deus na certeza de que serão ouvidos, repreendem o diabo, oram pelos que sofrem, afirmam a vitória do Salvador sobre todos os adversários do seu povo, aguardam novos céus e nova terra. O uso desse nome jamais deve ser visto como palavra mágica a ser usada irrefletidamente. A excelência desse nome, a esperança que ele evoca, a certeza que comunica ao coração atribulado, tudo isso deveria ser objeto da mais séria reflexão, da mais elevada compreensão do poder que está à disposição da igreja e do mais ousado uso dessa autoridade baseada no nome que está acima de todo nome.

2.10 *Para que ao nome de Jesus se dobre todo joelho, nos céus, na terra e debaixo da terra.*

O Pai glorificou o Filho "e lhe deu o nome que está acima de todo nome, para que..." Quem exaltou o Filho? Aquele que é infinito em capacidade de apreciar o belo e nele se deleitar em amor complacente. O Pai glorificou o Filho porque o Filho é totalmente amável. O Pai chama o universo para adorar o motivo da bem-aventurança eterna do próprio Criador.

O que há de glorioso em Cristo que move o Pai a exigir a adoração de todo o universo? A resposta está no nome de Jesus, na revelação da glória do seu ser, atributos e obra redentora. Ele tem de ser adorado porque é o eterno Filho de Deus, que se fez pobre para redimir rebeldes que se insurgiram contra a autoridade de Deus. Amou a Deus e aos homens. Sua paixão pelo Pai e pelos pecadores o levou à vida de amor, serviço e compromisso com a verdade. Sua obsessão em obedecer a Deus e por obediência a Deus salvar o seu povo o levou ao Getsêmani, às mãos das autoridades judaicas e romanas, à cruz, ao túmulo. A história é absolutamente comovente, santa, bela, capaz de levar o que teve os olhos do coração iluminados pela graça a cair de joelhos em adoração. Onde encontrar na história universal algo que mais chame a atenção de quem tem alma para crer e amar? Sou cristão em razão desse nome! Nome sublime, majestoso, glorioso.

Joelhos têm de se dobrar. Paulo usa essa expressão universal de humildade: homens de joelhos perante aquele a quem servem por amor ou perante aquele a quem se curvam por temor. O apóstolo ressalta o que é mais certo do que a própria morte na vida de cada ser inteligente do cosmos. Todos terão de se curvar. Uns em encanto, louvor e adoração. Pasmos pelo fato de o ser mais amável aos olhos do Pai ter se afeiçoado pelos redimidos e os salvado de modo pessoal. Pense em cada história particular de salvação vista à luz da glória do nome santo de Jesus. Outros, entretanto, em vez de se curvarem perante o Leão-Cordeiro, se curvarão apenas diante do Leão, subjugados por sua realeza e governo soberano sobre o universo. Esses serão esmagados pela percepção do poder acachapante do Senhor da glória.

A experiência de reconhecimento da glória e senhorio cósmico de Cristo atingirá todos os seres inteligentes nas suas mais diferentes esferas de vida. Haverá reconhecimento dessa glória no céu, entre os anjos e a igreja triunfante. Haverá reconhecimento dessa glória na terra, entre todos os seres que estiverem biologicamente vivos na sua vinda. Haverá reconhecimento dessa glória debaixo da terra, entre todos os homens e anjos caídos irremediavelmente banidos do acesso à Nova Jerusalém.

2.11 *E toda língua confesse que Jesus Cristo é Senhor, para glória de Deus Pai.*

O que os seres humanos são propensos a fazer quando estão perante o belo, o sublime, o amável, o santo? Os joelhos se dobram e a boca confessa. O contato com Cristo faz o ser humano falar. Todas as criaturas inteligentes serão movidas a dar público reconhecimento da autoridade de Cristo.

Esse ato de confissão é central na fé cristã. Não há conversão sem ele. Ninguém o faz em verdade sem que seja habilitado pelo Espírito Santo a fazê-lo com a mente e o coração. Só um milagre da graça para que ao homem seja concedida a percepção desse poder que a tudo submete. É impossível ser cristão e não ser movido ao testemunho de Cristo. Mas, naquele glorioso dia, a confissão será a mais exaltada que se possa fazer.

Todos confessarão — uns com júbilo, outros em forçosa sujeição aos fatos — que Jesus Cristo é o Senhor. Mais uma afirmação de tirar o fôlego. O universo tem um Senhor. Átomos, homens e anjos têm de se curvar à sua vontade. Quem governa o cosmos é uma pessoa. Não estamos sujeitos ao acaso, às forças inanimadas, ao absurdo. Ele pensa, sente e age. Mas, quem é o Senhor? O que faz a confissão virar um brado, uma canção, um poema é o fato de o Senhor ser Jesus Cristo. O Cordeiro, o carpinteiro, o autor do Sermão do Monte, o que se compadeceu da mulher hemorrágica, o que se compadeceu perante o enterro do filho único de uma viúva, o que inventou a parábola do filho perdido, o que orou com lágrimas no Getsêmani pela salvação do seu povo, o que nos amou com amor sacrificial. Ele é digno de ocupar essa posição. Não queremos outro em seu lugar. Teremos de servir eternamente à Estrela da Manhã, ao Lírio dos Vales, à Luz do Mundo.

Como o propósito de todas as coisas é a glória de Deus — o que não poderia ser diferente em razão do fato de o próprio Deus não encontrar propósito maior para tudo o que na eternidade decretou, uma vez que nada no universo é mais excelente do que o Criador santo —, o senhorio de Cristo sobre tudo o que foi criado se funde à manifestação da glória de Deus. Qual Deus? O Pai. Infinito em doçura, bondade, santidade. Tudo é superlativo nessa passagem e nos remete para uma espécie de mundo que excede infinitamente tudo o que os seres humanos, nos seus sonhos mais ousados, poderiam anelar.

> **2.12** *Assim, meus amados, como vocês sempre obedeceram, não só na minha presença, porém, muito mais agora, na minha ausência, desenvolvam a sua salvação com temor e tremor.*

Mais uma vez, observamos os traços principais do modo cristão de viver: teologia que conduz à ética, doutrina que serve de suporte para a aplicação prática da verdade. O cristianismo propõe transformação mediante o uso da razão. Os cristãos sabem por que fazem o que fazem. Esse é o sentido desse *Assim, meus amados*. Ele volta à dimensão prática da vida cristã, mas após a apresentação da cristologia dos versos anteriores, que está inserida entre duas porções eminentemente éticas do capítulo dois.

Havia um forte laço de amor que ligava o apóstolo Paulo à igreja de Filipos. Seus membros eram os "amados". Não há espaço para pieguice nos escritos de Paulo; contudo, há ampla abertura para a expressão sincera do verdadeiro amor. Seu ministério era regulado pelo amor à igreja. Ele viajava, pregava, aconselhava, escrevia, porque tinha real interesse pela felicidade dos cristãos. Que nenhum pregador peça a Deus eloquência. O segredo da beleza, originalidade, profundidade e autoridade na pregação é o amor, que faz o expositor das Escrituras ver na verdade revelada o que somente os que amam conseguem enxergar.

Não há verdadeira igreja sem obediência ao evangelho. Esse traço da verdadeira vida cristã sobejava em Filipos. Pelo fruto se conhece a árvore, todos sabemos. Contudo, ignoramos muitas vezes o fato de que esse fruto consiste na prática da verdade em amor. Equipará-lo aos dons espirituais, às expressões litúrgicas, ao conhecimento teológico ou à oração é perder de vista o fato de que dons, cantoria em alta voz, ampla familiaridade com a doutrina ou longas horas de joelhos, sem amor obediente, fazem parte daquela espécie de espiritualidade capaz de honrar a Deus com os lábios, mas negá-lo com o coração, prática tão condenada pelos profetas e pelo próprio Cristo.

Observa-se no apóstolo Paulo a intenção de que a igreja ganhe autonomia em relação a ele. Ele vê que é possível que seus membros floresçam mais ainda na sua ausência. Todo pastor deve repelir a dependência infantil por parte dos membros da igreja. Sua meta deve consistir em conceder-lhes emancipação. Cabe à igreja, por outro lado, esperar mais na graça de Deus do que na industriosidade, carisma ou erudição dos seus líderes. Todos, de certa forma, são descartáveis. A obra de Deus não perecerá se eles decidirem abandonar a igreja, caírem em transgressão, negarem a verdade. O pastor da igreja é Cristo, que sempre haverá de enviar trabalhadores para a sua seara.

Não podemos descartar, ao examinarmos esse verso, outro erro cometido por membros das mais diferentes igrejas: um comportamento perante os demais irmãos que jamais teriam na presença do pastor. O pastor pode estar ausente, mas Cristo sempre estará presente. Tudo é praticado e falado na presença de Deus. A presença visível do pastor não pode inibir mais do que a presença invisível de Deus a prática do que fere irmãos e fecha a porta da igreja para os de fora.

A parte final do verso 12 causa embaraço a muitos protestantes. Ela parece ir de encontro aos pilares da mensagem dos reformadores. Isso porque fala sobre uma salvação a ser desenvolvida e um espírito de temor e tremor a ser nutrido. Mas a salvação não é gratuita e obra exclusiva de Deus? Cristo não nos chama para a alegria dos filhos redimidos que voltaram para a casa do Pai? Não estamos diante de um verso que vai de encontro à teologia protestante clássica, e muito menos contradiz porções inteiras das Escrituras. O que ele faz é apresentar o que é consequência do evangelho.

Não se pede que os cristãos trabalhem para conquistar a salvação pelos próprios méritos. Pede-se tão somente que desenvolvam o que já têm. Eles já foram salvos pela graça, justificados dos seus pecados e adotados por Deus na sua família. À luz dos chamados feitos pelo Espírito Santo tanto ao amor pela igreja quanto à imitação do exemplo de Cristo, descritos nos versos anteriores, o que lhes cabe agora é viverem em obediência a Deus, tornando cada vez mais profundo o seu nível de sujeição à vontade de Cristo.

Os efeitos da salvação podem ser ampliados em nossa vida. Há um aspecto processual na salvação. Embora a regeneração, a justificação e a adoção sejam obras acabadas e instantâneas, a santificação não é. Sendo assim, o grande negócio da vida do cristão, sua principal ocupação debaixo do sol, é a administração da bênção de valor incalculável que recebeu: a redenção pelo sangue de Cristo.

A segurança da salvação não elimina o elemento de reverência na relação dos redimidos com Deus. Há temor e tremor. O chamado à alegria não é incompatível com o senso de maravilha e assombro causados pela percepção da presença de Deus, o impacto produzido pelo exemplo do Cristo que "se humilhou, tornando-se obediente até a morte, e morte de cruz" (Fp 2.8) e o peso de ser luz num mundo em trevas. É uma ficção a ideia de que a mais elevada compreensão da graça faz o crente manter uma familiaridade frívola com Deus, levando-o assim a ser mau porque Deus é bom. Ele teme e treme por saber que é frágil e exposto a tentações que podem arruinar sua utilidade pública, trazer vergonha para a causa de Cristo e entristecer o Espírito Santo.

> **2.13** *Porque Deus é quem efetua em vocês tanto o querer como o realizar, segundo a sua boa vontade.*

Não há passagem nas Escrituras mais otimista quanto à santificação dos cristãos e a viabilidade da igreja. O verso 12 é possível porque apresenta um fato. Paulo faz algo análogo ao que Cristo fez quando mandou o paralítico andar. A palavra *porque* nos remete a um mundo de possibilidade.

Vejo Paulo dizendo a seguinte coisa: "Obedeçam, levem sua salvação às suas consequências práticas, amem ardentemente uns aos outros, sejam luz na cidade, porque essa é a vontade de um Deus que não pediria de vocês o que ele não está interessado em ajudá-los a fazer". Ele nos chama, portanto, para olharmos para os inexauríveis recursos da graça que o próprio Deus disponibilizou para todos nós. Por que não deveríamos fomentar nas nossas igrejas esse tipo de palavra de ânimo? Essa é a forma de os cristãos lidarem com seus obstáculos morais.

Quem leva a cabo a obra de santificação da igreja é o próprio Deus. O mesmo poder que ressuscitou Cristo e mantém todos os planetas do sistema solar em harmonioso movimento é o que o evangelho promete para o contínuo progresso espiritual da igreja. Nenhum de nós tem o direito de desistir. Isso, obviamente, não significa que nossas vitórias sobre o mal moral sempre serão imediatamente obtidas. Os santos de Deus têm testemunhado que nem sempre Deus concede a graça que os faz superar no minuto seguinte à oração as tentações que os assolam, mas que sempre haverá de lhes conceder graça para perseverar até o dia no qual a cabeça da serpente será esmagada sob os seus pés.

Como Deus o faz? Ele *efetua* em nós o milagre do amor, para que o seu povo se pareça com ele. Em primeiro lugar, o Espírito Santo dispõe, inclina e move o coração do regenerado a anelar pelo que Deus deseja. Ele põe o querer dentro de nós de modo que o seu querer se funde ao nosso querer. Ele cria o comportamento espontâneo, que passa a ser visto pelo crente como inevitável. A vida em santidade se torna atraente, racional e desejável. O desejo de reproduzir o comportamento de Cristo prepondera sobre as paixões pecaminosas.

Em segundo lugar, Deus torna esse anelo invencível. Ele comunica ao nascido de novo o poder de execução. Esse é o momento da vitória sobre o conflito de alma descrito pelo próprio apóstolo em Romanos 7.18-20: "Porque eu sei que em mim, isto é, na minha carne, não habita bem nenhum, pois o querer o bem está em mim, mas não o realizá-lo. Porque não faço o bem que eu quero, mas o mal que não quero, esse faço. Mas, se eu faço o que não quero, já não sou eu quem o faz, e sim o pecado que habita em mim". Jamais desista de ser santo!

Por que Deus o faz? O que o move a se dedicar tanto a nós? Nós o vemos lidando conosco. Fala à nossa consciência, usa as tribulações para aprofundar nosso senso de dependência da sua misericórdia, apresenta-nos Cristo no seu amor pelos homens e pelo Pai, incitando-nos a imitá-lo. Sabemos que ele nos predestinou para a santidade. Se resistirmos à sua voz, ele usará dos seus métodos para trazer-nos de volta aos seus caminhos. Ele permite que pessoas se levantem contra nós, fragiliza nossa saúde, desestabiliza nossa vida financeira, faz-nos sentir angústia em relação à presente vida, que tanto promete e nada cumpre. Terrível coisa é cair nas mãos de um Deus de amor! Ele o faz *segundo a sua boa vontade*, afirma o apóstolo Paulo. A sua disposição em fazer o bem o move a atrair-nos para a sua natureza santa. A vontade é boa por desejar o supremo bem: participarmos da beleza de Deus, sermos objeto do seu amor complacente, cumprirmos o papel de luz do mundo, servirmos de modelo da eficácia do evangelho de Cristo.

Portanto, há sinergia na santificação. Paulo atribui todo progresso espiritual à misericórdia divina. Justamente por isso, chama-nos a agir, sacudindo nossa letargia ou predestinacionismo preguiçoso. Eu me levanto e ando porque ele disse para fazê-lo. O livre arbítrio é mantido. Faço o que quero fazer, mas o que quero fazer é o que ele me moveu a desejá-lo. Deus dá o que pede. Servimos ao Pai.

> **2.14** *Façam tudo sem murmurações nem discussões.*

O comportamento deve ser regulado pela teologia, pela verdade revelada, pelo evangelho. O cristão não está preocupado apenas com a ética, mas sim com os seus fundamentos, com o que a torna racionalmente defensável, com o que lhe empresta sentido. O cristão é alguém que não teria energia para viver a ética cristã sem os motivos cristãos para a ética.

O apóstolo Paulo estabelece a doutrina a fim de mostrar de modo pontual o que é consequência dela do ponto de vista da prática do cristianismo. O *façam tudo* tem a ver com a totalidade da vida cristã. Sob que espírito ela deve ser vivida? À luz de tudo o que o evangelho revela sobre Deus, a obra realizada por Cristo na cruz, o seu amor sacrificial pela igreja, o soberano chamado para que todos os filhos de Deus manifestem o caráter de Deus, há certos comportamentos que são especialmente incompatíveis com a fé cristã.

Um deles é a murmuração. Sem a mínima dúvida, Paulo chama os cristãos filipenses para considerarem o exemplo de Israel: "Não fiquem murmurando, como alguns deles murmuraram e foram destruídos pelo exterminador" (1Co 10.10). O que aconteceu com Israel e que deveria servir de alerta para a igreja? É alto privilégio ter sido chamado por Deus para ser tornado livre da escravidão do Egito. Viver numa terra de liberdade a fim de servir e adorar ao Criador do universo é parte essencial do conceito cristão de felicidade. Quem foi objeto desse amor deveria ser eternamente grato. Que amor é esse que se afeiçoa por um pecador, rompe os grilhões que o mantinham cativo e o chama para a vida mais bem-aventurada que se possa conceber?

Entretanto, para quem se aventura a tomar o caminho da libertação, Deus não promete uma jornada sem lágrimas, lutas, contrariedades, imprevistos. Nessas horas, pode ocorrer com quem foi objeto de tamanha misericórdia a entrada no coração de um profundo sentimento de ingratidão associado a um descontentamento com a vida. Como a boca fala do que o coração está cheio, no seio da igreja surgem murmuradores, que reputam como cruel o governo providencial de Deus. Esses disseminam entre os irmãos o seu amargor. Destilam seu ressentimento, espalhando pela igreja um incontrolável mau humor.

Um ser humano assim, tão infeliz com a vida, torna-se propenso às discussões. Ele não apenas expressa sua revolta com a vida, mas também manifesta sua amargura em discussões com os irmãos na fé. Ele está ressentido com

Deus, logo torna-se cético com relação às Escrituras e ultrassensível ao tratamento que recebe por parte dos irmãos.

O que o apóstolo Paulo tem a dizer para os murmuradores e disseminadores de contenda na igreja? Que eles não estão agindo como cristãos. Seu dever é ver sua vida à luz da vida de Cristo, tal como foi descrita em Filipenses 2.5-11. Havia, portanto, questões a serem respondidas: Cristo, o eterno Filho de Deus, que foi obediente até à morte de cruz, foi encontrado murmurando? Alguma vez foi visto falando o que não visava à edificação e salvação dos homens? O Pai deixou de amá-lo quando o fez sofrer? Seu sacrifício em amor foi inútil? Murmuração que deságua em discussão é comportamento de quem perdeu de vista o caráter, as promessas, a fidelidade e o amor do Pai.

> **2.15** *Para que sejam irrepreensíveis e puros, filhos de Deus inculpáveis no meio de uma geração pervertida e corrupta, na qual vocês brilham como luzeiros no mundo.*

Em razão do que declaramos ser e crer, nossa vida sempre será escrutinizada por aqueles com quem convivemos. A maior defesa que podemos fazer do cristianismo é a manifestação do seu poder em nossa vida a fim de que contradição não seja encontrada em nós.

Temos a nossa humanidade e sombra. Somos humanos e trazemos conosco propensões ao mal que nos são peculiares. Quando nossa falibilidade se manifestar, precisamos manter em mente que não há motivo para desistirmos de nós mesmos e deixarmo-nos tomar por excessiva culpa. Esse olhar misericordioso sobre as nossas fraquezas não significa indulgência, mas sim tratarmos nossa alma como Cristo nos trata ao ouvir nosso lamento. Temos de concordar com Cristo nas ocasiões em que ele se recusa a esmagar quem já está quebrado.

Não podemos, entretanto, perder de vista a meta de não darmos aos de dentro e aos de fora motivo para nos chamarem de incoerentes. A palavra *irrepreensíveis* alude ao aspecto exterior da nossa vida. Que a doutrina que proclamamos seja adornada pela beleza do nosso testemunho. Quando Paulo menciona a palavra *puros*, demonstra estar preocupado com o aspecto interno da santificação. "Puro" significa não misturado, não adulterado, simples. Alguém já disse que o que caracteriza a vida do puro de coração é o fato de o seu coração ter apenas um desejo: glorificar a Deus. Ele não está dividido. Recusa-se a viver o impossível, agradar a dois senhores. Em síntese, jamais haverá conduta irrepreensível sem pureza de coração. A retidão íntima fará o amor de Cristo transparecer no nosso comportamento.

Devemos ser o que somos. Pela graça divina, tornamo-nos filhos e filhas de Deus. Isso significa mais do que ser amado e fazer parte da família de Deus. Ser filho de Deus representa ter o DNA de Deus, ser partícipe da natureza de Deus, viver a vida de Deus. É como se Paulo dissesse: "Pensem no que vocês são, no que declaram ser, no que podem ser, e desse modo procurem honrar o nome da família à qual pertencem". Nesse sentido, nada é mais importante do que a igreja, em razão da sua integridade de vida, não se tornar motivo da reprovação do restante da sociedade.

Vale ressaltar um fato: essa expressão pública da pureza de coração não deve ser somente negativa, deve ser também positiva. Envolve evitar o mal e praticar o bem. Não significa ser apenas santo do ponto de vista da ética privada. Deve haver na vida dos filhos de Deus forte espírito público. Seria uma lástima as pessoas, apesar de nos considerarem honestos, castos, temperantes, nos terem como insensíveis face às grandes injustiças presentes nos modelos políticos e econômicos que regem sociedades inteiras.

Os cristãos devem cumprir sua vocação no mundo. Seu chamado é para viver *no meio de uma geração pervertida e corrupta*. As tensões serão inevitáveis. O preço a ser pago é altíssimo. Mas o modelo de espiritualidade é e sempre será Cristo, que desceu da glória para o convívio estreito com os pecadores.

O amor pelos pecadores não impedia o apóstolo Paulo de divisar o espetáculo de horror que contemplava no mundo do primeiro século. Seu veredito aplica-se a todas as eras. Os seres humanos são pervertidos (no grego, *skolios*, raiz da palavra "escoliose", na língua portuguesa). Eles são deformados, tortos, desonestos, injustos, grosseiros, rebeldes. Os seres humanos são corruptos: desviados do caminho certo, corrompidos, opostos à vontade de Deus.

A primeira palavra ressalta o aspecto externo do comportamento dos seres humanos não regenerados, enquanto a segunda ressalta a dimensão interior do pecado. Os seres humanos pecam porque são pecadores. Que ninguém julgue o diagnóstico do evangelho pessimista e duro. Certamente, os seres humanos não são apenas isso. Há a graça comum e os traços que restam da imagem e semelhança de Deus em cada homem e mulher. Entretanto, é completa cegueira negar o veredito amplamente confirmado pelo rastro de sangue e miséria deixado pelos homens por onde passaram.

Qual a esperança para um mundo como esse? Os cristãos serem o que são! Terem comportamento à altura do *status* cósmico de que usufruem. Viverem como filhos de Deus, mostrando à humanidade sua relação filial com o Criador santo. Quando tal acontece, o mundo recebe luz. A igreja passa a representar para o mundo o que o sol, a lua e as estrelas representam para o planeta. Que chamado! A meta é que as nações, por meio do contato com os cristãos, saibam que há gente de outro mundo neste mundo. Deus tem seus filhos. Sobre seu espírito imprimiu as marcas do seu caráter. Posso imaginar a emoção do apóstolo aos escrever esse verso. De um lado, o choque em seu coração santo causado pelas injustiças presentes nas cidades pagãs, como Filipos, que ele evangelizara. Do outro lado, o desejo ardente e a esperança de que as igrejas que estava plantando iluminassem aquelas sociedades.

2.16 *Preservando a palavra da vida. Assim, no Dia de Cristo, poderei me gloriar de que não corri em vão, nem me esforcei inutilmente.*

Não há avivamento sem reforma. A igreja precisa sempre voltar à verdadeira doutrina se quiser realmente retornar à verdadeira vida cristã. O papel da palavra pregada era essencial a fim de que tudo o que havia sido apresentado à igreja de Filipos como meta fosse alcançado. Devemos *preservar* o evangelho, manter-nos fortemente agarrados a ele, trazer sempre à nossa memória o seu conteúdo e proclamar sua mensagem para os que não conhecem a Cristo.

É obrigação dos pastores pregar o evangelho a cada domingo. Seja qual for a passagem a ser usada, é dever do ministro mostrar como o texto que serviu de base para a pregação leva ao evangelho, depende do evangelho para fazer sentido, pressupõe o evangelho. Pregar a Bíblia sem pregar o evangelho conduz a igreja de volta ao Antigo Testamento. Moisés não salva, quem salva é Cristo. A todos deve ser lembrado, contudo, que professar verbalmente o evangelho não basta. Preservar o evangelho apenas no discurso sem preservá-lo no modo como regula a vida de cada crente leva a igreja à ortodoxia morta.

O evangelho é a *palavra da vida*. Por ser *palavra*, há um conjunto de proposições a ser proclamado e crido. Evangelho é Cristo, uma pessoa, mas tudo o que sabemos sobre a pessoa de Cristo é o que foi revelado pelo evangelho na forma da apresentação de uma narrativa e afirmações doutrinárias.

O evangelho fala sobre a vida, define o sentido da palavra vida e comunica vida. Não há vida sem a compreensão e fé no conteúdo do evangelho. Ele faz com que os seres humanos compreendam que existe uma vida além da biológica. Ele começa por ensinar às pessoas que elas têm uma alma, marcada de modo inerradicável por demandas emocionais, psicológicas, existenciais, intelectuais, espirituais, profundas. Essa substância imaterial carece de sentido, esperança e perdão.

O evangelho pressupõe um estado de desespero. Seres fadados à morte, em processo inexorável de envelhecimento, sujeitos a sofrimentos súbitos indizíveis, propensos a fazer julgamentos morais que os condenam, uma vez que não praticam o que prescrevem. Seu coração mantém seu batimento graças ao poder de um ser que é provocado diariamente pelas iniquidades humanas. Cristo declara que todos terão de comparecer um dia perante o tribunal de Deus.

O evangelho comunica vida porque mostra como os seres humanos podem ser reconciliados com o seu Criador, viver vida agradável aos seus olhos e ser felizes hoje e para sempre. O evangelho permite ao crente ter acesso a uma narrativa de vida que comove e move às ações de graças. Ele faz com que o discípulo de Cristo descubra que é eternamente amado, foi salvo por um ato soberano e gracioso, caminha para a glória, enquanto vive vida na qual o gesto mais simples de amor não passa despercebido por Deus. O evangelho permite a vida de Deus na alma. Santifica as afeições, ilumina a mente, move a vontade. Faz a natureza ser vista como Bíblia que revela o amor eterno do Criador por meio do canto dos pássaros, do despontar do sol, da brisa marinha. O ato de orar — de o ser humano descobrir que pode entrar em colóquio santo com o seu Deus — já seria suficiente para chamarmos o evangelho de *palavra da vida*.

O apóstolo Paulo era possuidor de mentalidade escatológica. Era-lhe impossível pensar sobre o que quer que fosse sem levar em consideração o *Dia de Cristo*. Ele esperava chegar à presença do seu Salvador, nesse glorioso dia, com as mãos cheias de boas obras, fruto do seu mais profundo amor pelo Cristo que a ele se revelara na estrada de Damasco. Ele esperava naquele dia se alegrar. Sua meta consistia em apresentar a Deus uma igreja que nascera e fora alimentada por Cristo, mas por meio do seu ministério. Que maravilha viver! Usar o tempo de vida para escrever uma biografia que nos acompanhará durante a eternidade. Uma história, a ser honrada por Deus, de serviço em amor a Cristo.

Os membros da igreja de Filipos são chamados a pensarem nesse alto privilégio. Deus lhes concedera a graça de conhecerem um autêntico pregador do evangelho. Passara pelo seu meio um santo de Deus. A eles cabia tirar o máximo proveito de tão especial e graciosa oportunidade. Jamais permitir que história tão linda passasse a ser considerada esforço inútil de um ministro do evangelho que ofereceu um pasto farto para um rebanho que permaneceu magro por se recusar a comer. Tirando proveito de oportunidade tão rara concedida, por pura graça, pelo Espírito de Cristo, eles também, no Dia de Cristo, teriam do que se gloriar.

Paulo trabalhou duro em Filipos. Ele compara seu ministério missionário ao esforço desprendido numa competição olímpica de atletismo e a um trabalho exaustivo. De fato, ministério não é lugar para indolentes. Ele se afadigou; agora esperava receber a coroa da justiça e o fruto do seu penoso labor. Ele sabia, entretanto, que jamais teria realizado obras que em tal extensão marcaram a história da humanidade e, em especial, a vida da igreja, se não fosse a atuação de Cristo por meio da sua vida.

> **2.17** *Entretanto, mesmo que eu seja oferecido como libação sobre o sacrifício e serviço da fé que vocês têm, fico contente e me alegro com todos vocês.*

O evangelho é indiscutivelmente a boa nova para o ser humano atormentado pela sua consciência, pelo inferno, pelo juízo final, pela lei, pela igreja, pelo padre, pelo pastor. O evangelho retira nossos olhos das tábuas da lei e os faz repousar sobre o pão e o vinho. Silencia de uma só vez todos os adversários da nossa alma, tudo o que nos condena, tudo o que nos faz temer a morte.

Não podemos esquecer jamais que ele é também uma espada espiritual para matar a vítima, uma vez que, como nos lembra Calvino, não existe fé sem mortificação, por meio da qual somos consagrados a Deus.[4] Por isso, nos deparamos nesse verso com essa linguagem sacrificial, que nos remete para o mundo do Antigo Testamento.

Paulo fala sobre sua vida oferecida como uma libação, que consistia na oferta de azeite ou vinho que era derramado sobre o sacrifício queimado, no templo de Jerusalém. Esse derramamento era feito no final do sacrifício.[5] Aqui estamos perante a imagem de um pastor que não usava a religião em proveito próprio. A pregação do evangelho não era considerada por ele um bom negócio. Ele encontrava-se preso, privado da sua liberdade, exercendo atividade ministerial que o expunha ao constante risco de morte. Pode ser que ele esteja falando sobre uma renúncia ao mundo que já estava em curso na sua vida, ou apontando para o que poderia acontecer, a sua execução após a condenação à pena capital pela corte romana.

---

[4] João CALVINO, *Série Comentários Bíblicos: Gálatas, Efésios, Filipenses e Colossenses*, 439 (E-book Kindle).
[5] F. F. BRUCE, *Novo Comentário Bíblico: Filipenses*, p. 98.

O apóstolo-pastor é visto relativizando a presente vida, abrindo mão de confortos temporais, caminhando no fio da navalha. A igreja de Filipos não ficava atrás. Ela é vista seguindo os passos do sacerdote, porém, mais do que isso: tomando Cristo como referência a fim de que a totalidade da sua relação com Deus fosse regida pelo exemplo de Cristo.

O cristianismo é amor sacrificial. A igreja de Filipos oferecia a si mesma como sacrifício a Deus e fazia do exercício da fé uma liturgia. A palavra *sacrifício* denota oferta, enquanto a palavra *serviço* aponta para a sua direção: a adoração sacrificial. Os discípulos de Cristo seguem o exemplo de Cristo. Eles entendem que, se não houver sacrifício voluntário de vida, não haverá salvação neste mundo. Os cristãos são chamados para viabilizar a vida do seu próximo por meio da oferta da sua vida em adoração a Deus e em favor dos pecadores. Eles compreendem que a sua própria vida foi obtida por meio da morte de outros, acima de tudo, da entrega vicária e propiciatória do Filho de Deus.

Todos deveriam sentir imensa alegria por tamanho privilégio. Esse cristianismo capaz de se doar, cujo adorador transforma sua vida em oferta a ser posta sobre o altar de Deus, é prova evidente de novo nascimento, reprodução pura da vida de Cristo e meio para a redenção dos seres humanos. Nenhuma gota de sangue derramado, nenhuma renúncia pessoal, nenhuma decisão de se dirigir em amor para os mais diferentes tipos de calvário, deixará de ser honrada por Deus. Há alegria na morte dos santos. É honroso, belo e justo morrer por quem morreu por nós.

Resta-nos algumas perguntas: Percebemos essa nota de amor sacrificial nas nossas igrejas? O que o evangelho está nos custando? Quem recebeu vida por meio da renúncia que fizemos? Sabemos que o chamado é para crer e morrer? Somos perseguidos por causa do evangelho? Onde estão os mártires do cristianismo no nosso país?

> **2.18** *Assim, também vocês, pela mesma razão, fiquem contentes e se alegrem comigo.*

A preocupação do apóstolo Paulo é profundamente pastoral. Ele não quer uma igreja abatida pelo sofrimento que tanto ele quanto ela estavam enfrentando por causa do evangelho. Nesse pequeno verso, percebemos a radical diferença entre o aconselhamento cristão e a literatura de autoajuda. Um problema grave é identificado. Pessoas estavam sofrendo em razão de terem abraçado a causa do evangelho. Seu principal líder encontrava-se preso, exposto ao risco de morte. A graça de Deus não elimina a natureza humana, não transforma homens em anjos. Por essa razão, não existe espaço na fé cristã para a negação da dor ou a celebração do sofrimento em si. Toda a tormenta que estavam sofrendo tornava a igreja exposta a tentações de toda sorte.

O que o apóstolo tem a dizer? Em primeiro lugar, que a igreja não deveria ficar angustiada por sua causa. Ele não se faz de vítima. Declara simplesmente que sentia profunda gratidão a Deus pelo privilégio de sofrer por causa daquele que dera sua vida por ele. Em seguida, ele chama os cristãos de Filipos a participarem da sua alegria, pois eles também haviam recebido a graça inaudita de sofrerem pela grande causa da igreja. Como ele os exorta? Se prestarmos atenção ao seu método, conheceremos o modo cristão de lidar com os sofrimentos da vida.

Paulo apresenta-lhes um imperativo. Chama-os para responderem à perseguição com alegria. Aqui temos a linguagem de um comandante se dirigindo ao seu exército. O evangelho não seria levado ao mundo se a igreja permanecesse lambendo suas feridas. Sendo profundo conhecedor da natureza humana, tanto da caída quanto da regenerada, ele não ousa fazer apelo sem apresentar seus motivos racionais e teológicos.

Sob que perspectiva o sofrimento de todos deveria ser visto? Eles acreditam na realidade concreta da vida após a morte a ser vivida no planeta de Cristo. Paulo apela para essa verdade basilar, sem a qual a fé cristã inteira não tem sentido. Mais um ponto: ele vira-se para a igreja e pergunta: "Bem, nós não apenas acreditamos no céu, mas também no Dia de Cristo, não é mesmo? Portanto, vejam tudo à luz da glória que nos está reservada em razão do privilégio de comparecermos perante o tribunal de Cristo após termos passado pela dor da perseguição sem termos negado a fé". Tudo isso, é óbvio, aponta para um fato que deveria a todos comover: perseverar nas lutas infernais por amor a Cristo é sinal evidente de conversão. Todos compreendiam que estavam reproduzindo a vida de Cristo, imitando seu testemunho, fazendo pelo mundo o que Cristo fizera pela vida deles. Não estavam dando seu sangue por uma causa qualquer.

Esse é o espírito do cristianismo.

> **2.19** *Espero no Senhor Jesus enviar-lhes Timóteo o mais breve possível, a fim de que eu me sinta animado também ao receber notícias de vocês.*

Nada é mais revelador do amor e da relação íntima do apóstolo Paulo com Cristo do que essa declaração: *Espero no Senhor Jesus*. O cristão é alguém que fez do querer de Cristo o seu querer. Sua mais profunda ambição em vida é discernir a vontade de Cristo e cumpri-la com exatidão. Ele vela em oração esperando a direção do seu Senhor. O cristão sabe que tudo o que delibera carece da permissão de Cristo para a sua realização. O governo providencial de Deus na vida da igreja é levado a cabo pela ação direta de Cristo. Havia o humano planejamento, elaborado em oração, cuja execução dependia da vontade do Senhor Jesus. Toda língua confessará que Jesus é o Senhor. O cristão se alegra em reconhecer em vida o senhorio de Cristo. Observe que nada é meramente teológico. Estamos perante algo existencial, prático, concreto. O apóstolo acreditava na direção, no governo e no cuidado de Cristo. A vida cristã inteira está contida nessa expressão de dependência: *Espero no Senhor Jesus*.

O que Paulo aguardava na providência de Cristo? Enviar seu filho espiritual Timóteo a Filipos. Ele estava certo de que não havia nada de errado em enviar Timóteo. O apóstolo escolhera um eminente servo de Deus para cuidar dos interesses do reino de Cristo. Sua decisão podia perfeitamente contar com a bênção do Senhor Jesus. Havia algo que o impedia de enviar Timóteo imediatamente. Sua intenção era fazê-lo assim que fosse possível. Que nível de renúncia pessoal! Com a ida de Timóteo para Filipos, Paulo ficaria privado na prisão da presença do seu melhor amigo.

Esse é um verso que humaniza a relação dos cristãos com a vida. Paulo toma medidas racionais que visavam atender a uma demanda da igreja, o que exigia a ação humana. Seus afetos estavam em tal extensão ligados à igreja de Filipos, que ele decide enviar Timóteo à cidade a fim de que trouxesse notícias a Roma que tranquilizariam o seu coração de pastor. Mais uma vez nos deparamos com esse traço proeminente da verdadeira espiritualidade: a real vida cristã é indissociável da igreja.

Com o que Paulo se preocupava? À luz do que já vimos, em saber se a igreja permanecia unida, se suas portas continuavam fechadas para os falsos profetas, se ela continuava inabalável nas lutas que sofria e se confiava em Cristo quanto ao destino do próprio apóstolo. Sem esse amor responsável, não há igreja.

> **2.20** *Porque não tenho ninguém com esse mesmo sentimento e que se preocupe tão sinceramente por vocês.*

Ninguém consegue realizar a obra de Deus sozinho. Todo pastor, líder ou pregador precisa, nesse sentido, escolher com critério quem estará ao seu lado servindo como companheiro de lides ministeriais. Uma escolha errada pode ser fatal. Inveja, malversação dos recursos da igreja ou deslealdade são alguns dos infortúnios que podem se abater sobre quem não souber escolher os membros da sua equipe. O ministro do evangelho pode perder credibilidade, autoridade e respeito por manter sua imagem associada a um membro da equipe pastoral que dá péssimo testemunho. Não há nada mais fácil do que contratar alguém, não há nada mais difícil do que dispensar quem se mostrou inepto para o exercício do ministério sagrado. Quando esse sai, em geral, arrasta consigo membros da igreja e espalha calúnia a respeito do ministro fiel, que, contudo, não soube escolher criteriosamente seus auxiliares.

O apóstolo Paulo não abriu mão de ter ao seu lado alguém com o mesmo sentimento (*isopsuchos*, em grego), alguém com a mesma alma ou a mesma mente. Essa mão de obra costuma ser escassa: *Porque não tenho ninguém com esse mesmo sentimento*. Encontrá-la representa especial benevolência pela vida dos ministros do evangelho. Esses companheiros fiéis e amáveis devem ser tratados com zelo pela liderança da igreja.

O apóstolo destaca duas virtudes centrais na vida de Timóteo: primeiro, uma real preocupação pela saúde da igreja. Havia ansiedade no seu coração pelo bem-estar dos irmãos na fé. Associada a essa virtude central para a admissão de um membro da igreja à condição de líder, estava a sinceridade (*gnesios*) de coração. Timóteo era genuinamente apaixonado pelos cristãos. Estamos, portanto, perante duas condições básicas para que alguém seja admitido a um cargo de liderança da igreja. A importância de uma seleção criteriosa é difícil de ser superestimada. Não se pode botar o cuidado de gente pela qual Cristo derramou o seu sangue nas mãos de homens desprovidos de desejo sincero de lutar pela vida da igreja.

> **2.21** *Todos os outros buscam os seus próprios interesses e não os de Jesus Cristo.*

Creio ser pouco provável que Paulo estivesse falando sobre todos os obreiros que poderiam fazer o trabalho do qual estava incumbindo Timóteo. Certamente, ele não está fazendo um severo julgamento sobre a igreja de Roma. Havia santos na cidade, sem sombra de dúvida. É possível que estivesse falando sobre certos pregadores que vieram à sua mente enquanto escrevia sobre Timóteo. De uma forma ou de outra, uma coisa é certa, já no primeiro século da era cristã podiam ser encontrados homens envolvidos com a igreja cujos interesses pessoais se sobrepunham aos interesses de Cristo.

Paulo não os considera hereges, prova de que a ortodoxia não é tudo. Era visível a tendência desses homens de se dedicarem à igreja até ao ponto que isso não lhes era inconveniente. Havia uma agenda secreta em seus labores. Ser santo não é sinônimo de ingenuidade. Nenhum juízo caritativo sobre a vida desses homens impediu Paulo de constatar o óbvio: havia na igreja homens capazes de usar a igreja a fim de atingirem seus próprios interesses. Eram cegos. Incapazes de perceber que servir a Cristo, por mais que isso nos seja custoso, é a mais alta honraria que um ser humano possa receber em sua vida. Há um comentário de Calvino sobre esse verso que, apesar da sua extensão, devido à sua riqueza, fez-me mencioná-lo na íntegra nessa análise do verso 21:

> Pois você deve renunciar seu próprio direito, caso queira desincumbir-se do seu dever; focalizar em seu interesse próprio destrói a preferência pela glória de Cristo, ou talvez coloque ambos no mesmo nível. Aonde quer que Cristo o chamar, você deve ir prontamente, pondo de lado todas as coisas. Você deve considerar sua vocação por um prisma tal que descarte todos seus poderes de percepção de tudo quanto porventura o impeça. Pode estar em seu poder viver em outro lugar com maior opulência; Deus, porém, o ligou à igreja, a qual lhe propicia apenas um bem modesto sustento; é possível que em outro lugar você tenha mais honra; Deus, porém, lhe destinou uma situação na qual você viverá num estilo humilde; talvez em outro lugar desfrute de um céu azul, ou uma região mais agradável; mas é aqui seu lugar designado. É possível que você desejasse conviver com pessoas mais humanas; é possível que se sinta ofendido com sua ingratidão, ou com seu barbarismo, ou orgulho; em suma, pode ser que não simpatize com a disposição ou as maneiras da nação onde se encontra, porém deve relutar consigo mesmo e de certa maneira reprimir as inclinações opostas, para que você mantenha a tarefa que recebeu; porquanto você não é livre, nem se acha à sua própria disposição. Enfim, esqueça a si próprio, caso queria servir a Deus.[6]

Cristo é apresentado como tendo seus interesses. Quais os interesses de Cristo? Ele ama o povo que comprou para o Pai com o seu próprio sangue. Ele quer esse povo alimentado espiritualmente, cheio do Espírito Santo, vivendo em amor, praticando a verdade, sendo sal da terra e luz do mundo por meio de suas ações e reproduzindo sua vida.

A fim de que os interesses de Cristo se cumpram na vida da igreja, trabalho duro, extenuante, custoso, precisa ser feito. Não há tarefa mais desgastante do que fazer homens e mulheres egressos de um estado de completa sujeição às forças poderosíssimas da carne, do mundo e do diabo viverem a vida de

---

[6] João CALVINO, *Série Comentários Bíblicos: Gálatas, Efésios, Filipenses e Colossenses*, 441-442 (E-book Kindle).

amor tão sonhada por Cristo. Todos trazem para dentro da igreja seus maus hábitos, formas tolas de pensar, mecanismos de proteção do ego. O ministério pastoral não é coisa para vaidosos, que por ansiarem brilhar mais do que Cristo, não estão dispostos a fazer trabalho que, devido à sua natureza complexa, requer muita renúncia pessoal por parte de quem o executa.

Repito: como a igreja tem de ser criteriosa na escolha da sua liderança! Definitivamente, amor por Cristo e pelo seu povo são mais importantes do que talento. Vale lembrar novamente que Paulo era santo, mas não era ingênuo. Podemos ser traídos pelo medo de julgar, que nos faz botar o rebanho de Cristo nas mãos de quem não vale nada.

> **2.22** *Quanto a Timóteo, vocês conhecem o seu caráter provado, pois serviu ao evangelho, junto comigo, como um filho trabalha ao lado do pai.*

A graça divina tem formado os seus Timóteos no decorrer dos séculos. Identificar esses irmãos deveria nos levar às ações de graças. É grande testemunho do amor de Deus pela igreja trazer para o seu seio homens e mulheres que são a autêntica encarnação da graça. Comove pensar em Deus trabalhando na vida desses irmãos preciosos, santificando seu caráter, aperfeiçoando seus dons, enriquecendo seu conhecimento, a fim de trazer a igreja para mais próximo de Cristo. Cabe à igreja honrar seus ministros, remunerá-los com dignidade, aliviar seu pesado fardo, encorajá-los nas suas crises de desânimo.

A igreja tem a obrigação de honrar de modo especial ministros do evangelho que deram provas de radical compromisso com a igreja de Cristo. Não se pede que a igreja acolha obreiros que foram selecionados por intuição. Não há espaço para permitir acesso livre ao rebanho para homens que se tornaram conhecidos pela sua simpatia, talento, senso de humor, eloquência ou conhecimento, virtudes que não se devem menosprezar, mas que não sobrepujam em importância a vida que foi posta à prova e passou pelo teste do amor. Ninguém que jamais foi capaz de dar prova do seu zelo em amor pela igreja deveria receber imposição de mãos.

Timóteo não passou apenas no teste da santidade de caráter. Muitos dos mais eminentes servos de Deus não foram talhados para o ministério sagrado. São bons, mas falta-lhes o chamado para pregar e exercer supervisão pastoral sobre a comunidade da fé. Timóteo havia passado no teste do caráter santo a serviço do evangelho. Ele foi visto pregando com fidelidade e graça. Pessoas foram visivelmente edificadas por meio do seu trabalho.

A igreja não tem o direito de matar seus melhores soldados. Por isso, o apóstolo Paulo, na parte final do verso 22, ressalta outro fato importante: a igreja de Filipos conhecia Timóteo, mas não apenas ela. Paulo podia dizer: "Eu sei quem ele é. Timóteo é especial!" Emocionava Paulo o modo como Timóteo o serviu, como um filho a um pai. Ele reproduzia o caráter do seu pai espiritual, pregava a mensagem que aprendera com ele, era-lhe submisso, servindo-o em humildade. Feliz o pastor que tem na sua equipe de trabalho verdadeiros filhos espirituais. Feliz o jovem ministro do evangelho que trabalha com quem reconhece seu valor. Esse é o espírito que deve reger a igreja de Cristo.

> **2.23** *Portanto, este é quem espero enviar, tão logo eu saiba como vai ficar a minha situação.*

Um anjo seria enviado à igreja de Filipos. Estava para chegar à cidade um homem que exalava o perfume de Cristo. Sua passagem pela cidade encorajaria os irmãos, aperfeiçoaria sua compreensão da doutrina, fomentaria a unidade da igreja. Todo cristão tem o dever de fazer da sua presença na igreja a manifestação mais pura da presença de Cristo. O nosso Salvador anela tocar, abraçar, falar e servir por meio da sua e da minha vida.

A passagem está falando também sobre o zelo do apóstolo Paulo pelo bem-estar do povo de Deus. É como se dissesse: "Estou enviando um obreiro a quem conheço e amo, e que haverá de servi-los sem trazer peso à igreja".

Esse verso também humaniza nossa visão sobre a vida dos apóstolos. Paulo aguardava o recebimento de mais detalhes sobre o seu julgamento. Não tinha acesso às informações sobre o que Deus lhe havia reservado. Aqui estamos perante um homem que lidava com o imponderável, não sabia tudo de antemão e que, portanto, empregava a mente para planejar, ponderando sobre a direção divina e os sinais da providência emitidos pelos acontecimentos da vida.

> **2.24** *Mas confio no Senhor que também eu mesmo em breve irei até aí.*

O apóstolo Paulo evidencia ter recebido sólida direção do Cristo vivo de que ele seria solto da prisão e teria a oportunidade de novamente visitar Filipos. Essa confiança no Senhor, essa persuasão que vem do céu, essa percepção de que não estamos à mercê da maldade humana e que nada impedirá o plano soberano de Deus se cumprir em nossa vida é o principal antídoto contra o esgotamento espiritual, e é um aliado essencial para a preservação da sanidade mental de quem dedicou sua vida à causa do evangelho.

Como mensurar o papel que essa interpretação teológica do seu sofrimento exerce sobre o seu ser? Bastava uma decisão judicial para ele voltar a andar pelo mundo e se dedicar ao que mais amava. Dias se passavam sem ele saber quais autoridades públicas preocupavam-se em fazer-lhe justiça na prisão. Ele sabia, contudo, que Deus sabia que ele estava preso.

Essa obra não pode ser levada a cabo sem a fé que serve de ponte para a intimidade com Deus. Não basta estar preparado para a batalha. Tem de haver confiança em quem comanda e vai à frente das operações da igreja no mundo. Por conhecer a Deus, Paulo era homem de oração, por meio da qual ele fora habilitado a ouvir a voz do seu Senhor. Por que essa carta não é um lamento, um desabafo ou vitimismo puro? Porque Paulo conhecia Deus e era-lhe íntimo.

> **2.25** *No entanto, julguei necessário enviar-lhes Epafrodito, meu irmão, cooperador e companheiro de lutas, e, da parte de vocês, mensageiro e auxiliar nas minhas necessidades.*

Ainda lidando com algumas incertezas que o impediam de saber quando seria possível encaminhar Timóteo a Filipos, o apóstolo Paulo decide enviar imediatamente Epafrodito. O zelo pela igreja o dominava. Seu amor o impedia de descansar irresponsavelmente na providência divina. Ele sabia que deveria agir com celeridade a fim de que a igreja fosse fortalecida pela presença de um eminente servo de Deus.

Epafrodito é uma das referências neotestamentárias de um bom obreiro. O que chamava a atenção em sua vida? Primeiro, o mais basilar de tudo: ele era *irmão*. Havia nascido de novo e era, portanto, um discípulo de Cristo. Não há nada que cause mais dano à igreja do que um ministério não convertido. O que o caracteriza? Em geral, trata-se de gente que revela assimetria de caráter. Destacam-se em algumas áreas, mas apresentam deformidades em pontos centrais da vida. Alguns revelam interesse pela doutrina, mas não praticam o que afirmam crer. Há aqueles que parecem se preocupar com a prática do cristianismo, mas ignoram a doutrina, além de serem seletivos nos pecados que condenam e causas que abraçam. Muitos fazem parte do que Spurgeon chamava de "família Graça-Escassa". Falta-lhes o elemento experimental. A vida de Deus na alma.

Ele era também um companheiro de trabalho (*sunergos*, em grego, de onde vem na língua portuguesa a palavra "sinergia"). Havia em sua vida um histórico de serviço ao reino de Cristo. Ninguém deveria ocupar cargo de liderança na igreja sem ter dado mostra da capacidade de se desgastar no serviço à igreja e ao mundo. O obreiro preguiçoso evidencia falta de amor, sobrecarrega o que exerce com esmero seu ministério e ocupa o espaço de quem poderia estar dando fruto no seu lugar. Por isso, é essencial no trabalho em equipe na igreja local pactuar a função de cada líder, estabelecer metas, definir cronograma e escolher alguém que supervisione todo o processo.

Epafrodito era companheiro de "armas". Um soldado que estivera no campo de batalha com Paulo. Por que Paulo usa essa metáfora referente ao ministério? Não há quem se envolva com o ministério de pregação e que não seja objeto dos ataques mais diabólicos das forças das trevas. É missão extenuante, repleta de perigos, que requer abnegação, demanda o uso de estratégia, exige vigilância. Quem é o pregador? Aquele que avança pelo território do inimigo a fim de libertar os que foram tornados cativos. Ninguém entra nesse mundo impunemente. Por isso, a recomendação é que o treinamento seja severo, a seleção, rigorosa e a supervisão, criteriosa. Epafrodito reunia todas essas virtudes de um bom soldado de Cristo.

A igreja o havia enviado a fim de socorrer o apóstolo Paulo na prisão. As duas palavras, *mensageiro (apostolos)* e *auxiliar (leitourgos)* revelam a importância da missão. Paulo considera o compromisso de Epafrodito em ajudá-lo em nome da igreja de Filipos a missão de um representante oficial da igreja e o trabalho de alguém dedicado a um serviço sacerdotal, que consistia na entrega de uma oferta sagrada aos olhos de Deus. É difícil para nós hoje mensurarmos o que essa expressão de solidariedade representou para Paulo dentro daquele cárcere em Roma. É grande iniquidade a igreja fazer o oposto, abandonar seus ministros no momento mais difícil de sua vida, após anos de trabalhos prestados à causa do evangelho.

> **2.26** *Ele tinha muita saudade de todos vocês e estava angustiado porque vocês ficaram sabendo que ele adoeceu.*

As justificativas para o retorno de Epafrodito são apresentadas. Um belo retrato do amor que regia as relações das igrejas do primeiro século nos é revelado. Ele queria retornar porque sentia saudade da igreja. Servir aos cristãos membros de uma comunidade local não lhe era um tormento.

Parte dos problemas que enfrentamos hoje em nossas igrejas tem relação com uma institucionalização das relações, que impessoaliza a vida comunitária. A igreja deveria ser um lugar de grandes amigos. Apartar-se deles, um real sofrimento. Num mundo carente de graça, a descoberta conjunta da riqueza do cristianismo conduzia os membros daquelas igrejas à simplicidade de vida, à doçura de tratamento, à profundidade de interlocução, ao compartilhamento de bens, e tudo isso associado às extraordinárias manifestações do Espírito de Cristo. Era inevitável que as amizades mais profundas e prazerosas fossem forjadas. A igreja não deve funcionar como uma empresa de fazer prosélitos. Seu crescimento numérico deve ser fruto de uma relação orgânica que encanta e atrai.

Epafrodito sofria por saber que havia chegado a Filipos a informação de que ele havia adoecido gravemente. No caminho para Roma, para onde se dirigira a fim de socorrer o apóstolo Paulo, ele havia contraído uma grave enfermidade. Provavelmente, algum companheiro de viagem voltou a Filipos trazendo a trágica notícia. Epafrodito queria que todos o vissem, fossem consolados pela sua presença e juntos se fortalecessem. O que vemos aqui não é o funcionamento de uma instituição religiosa, mas sim de uma família. O crescimento numérico não deve impedir jamais que a igreja perca essa intimidade entre seus membros. A igreja tem de se estruturar para o amor, fomentar a amizade e estimular seus membros a dividirem seus melhores momentos. A igreja deveria prover companheirismo aconchegante num mundo no qual milhões sentem-se descartáveis, usados no ambiente de trabalho e abandonados pelo estado.

> **2.27** *De fato, adoeceu e estava à beira da morte. Mas Deus se compadeceu dele — e não somente dele, mas também de mim —, para que eu não tivesse tristeza sobre tristeza.*

Epafrodito viu a morte lhe fazer sombra. Sua proximidade foi sentida e vivenciada *de fato*. Aquele a quem Paulo tanto amava foi acometido por alguma enfermidade que o deixou diante dos portões da morte. Estimados servos de Deus podem adoecer em razão da dedicação apaixonada ao seu ministério. Será que essa foi a experiência vivida por Epafrodito? Não sabemos.

Esse é um dos mistérios do governo providencial de Deus. A inescrutabilidade divina é constante motivo de depressão espiritual na vida de muitos. Como explicar alguém tão produtivo passar por prova tão severa? Não temos acesso a todas as informações. O que sabemos, contudo, é que ninguém naqueles dias amava mais a Epafrodito do que o Deus que o salvara. Há sempre graça no sofrimento, e buscar identificá-la faz parte da vida cristã. No caso de Epafrodito, sua tribulação deu ensejo à magnífica manifestação da compaixão de Deus. Ele e Paulo foram testemunhas desse amor que tem o nome de misericórdia.

Parece que estamos perante uma contradição. Estar com Cristo não é incomparavelmente melhor? Apesar de não faltar motivos para os que divisaram a glória do céu de anelar por deixar esse mundo, ser mantido vivo não deixa de ser desejável quando se tem dons e graciosas oportunidades de ser instrumento do avanço do reino de Cristo na terra. Nesse sentido, viver é graça, uma vez que a vida que é doada pela providência divina é usada para o benefício dos seres humanos. Mais páginas da biografia dos redimidos são escritas. História que os acompanhará pelos séculos dos séculos.

O apóstolo Paulo também foi objeto de compaixão. Lá estava ele, preso, entregue ao arbítrio de autoridades públicas que o ignoravam e lidando com o mistério de uma oração de cura não ter sido ouvida. Prova de que os dons miraculosos não eram usados à revelia dos planos soberanos de Deus. Paulo também precisava de amigos e companheiros de ministério. A morte de Epafrodito seria um baque. Por isso, ele vê na preservação da vida do seu irmão na fé um comovente testemunho da misericórdia de Cristo. Não sabemos o que nos aguarda, mas podemos estar certos de que jamais Deus permitirá que deixemos de cumprir a nossa vocação por falta de amigos e irmãos que nos socorram com seus dons e talentos.

Observa-se a humanidade do apóstolo. Ele admite que a morte do seu grande amigo, que tanto lhe ajudara, representaria um sofrimento sobre outro sofrimento. É bem provável que estivesse falando sobre o período da doença de Epafrodito. A alegria cristã não é incompatível com esses momentos nos quais a humanidade do discípulo de Cristo responde à dor com dor. Não é falta de fé ser incapaz de se comportar como anjo. O tesouro habita em vasos de barro.

> **2.28** *Por isso, tanto mais me apresso em mandá-lo, para que, vendo-o novamente, vocês fiquem alegres e eu tenha menos tristeza.*

O amor tem pressa. O peso pelo bem-estar da igreja em Filipos era tamanho, que o apóstolo Paulo deliberara com celeridade enviar de volta Epafrodito à cidade. Sua meta era ficar privado de quem lhe era útil nos seus dias de cárcere a fim de atender a uma necessidade da igreja, que amava Epafrodito e ansiava por revê-lo com saúde. Que belo cumprimento da injunção do verso 4: "não tendo em vista somente os seus próprios interesses, mas também os dos outros".

Não há nota de estoicismo nessa passagem. A humanidade do homem é respeitada e modos naturais de atender necessidades humanas são empregados. Ele queria uma igreja alegre e anelava por ele próprio experimentar menos tristeza do que até então vinha enfrentando. Certamente, ele intercedia por todos, como lhe era de costume. Contudo, providenciava algo que julgava poder servir de meio para o Espírito Santo a todos encorajar, consolar e alegrar. Não devemos buscar ser mais santos do que Deus espera que sejamos.

> **2.29** *Recebam-no, pois, no Senhor, com toda a alegria, e honrem sempre os que são como ele.*

Aquele gigante da fé estava voltando para a igreja que o enviara, após cumprir plenamente a missão da qual fora incumbido. Paulo pede uma acolhida calorosa, que deixasse claro para Epafrodito que a igreja estava recebendo de volta um anjo de Deus. Ele deveria ser recebido *no Senhor*. Aos cristãos de Filipos cabia acolhê-lo como um eminente servo de Deus, enviado por Deus, amado por Deus, certos de que Epafrodito fazia parte da família de Deus e o próprio Deus se fazia presente na vida da igreja por meio da sua vida. Eles deveriam se relacionar com Epafrodito daquela maneira que é peculiar aos cristãos. Tudo deveria ser feito com muita alegria. O tratamento tinha de ser respeitoso e alegre. Paulo queria que todos manifestassem uma sujeição jubilosa ao pastor que voltava para o seu rebanho.

Epafrodito deveria ser tratado com honra. Aqui vemos um princípio do amor cristão. Devemos amar a todos, contudo, quanto mais devemos a um ser humano e mais excelente ele é, maior a nossa obrigação de amá-lo. Ele deveria ser honrado porque fazia parte daquela fração da igreja que manifestou seu amor por Cristo e pela igreja da forma mais radical possível. Não havia espaço para dúvida quanto à realidade e extensão do seu compromisso com Cristo. Sua vida provara que seu maior bem era Jesus. Esses irmãos deveriam ser tratados da forma mais respeitosa, amigável, doce e graciosa possível.

Calvino faz importante comentário sobre a necessidade imperiosa de a igreja ter em profunda estima pastores que desempenham com amor sacrificial o seu ministério:

> Nem se pode duvidar que Deus às vezes pune nossa ingratidão e orgulhoso desdém, privando-nos de bons pastores, quando ele vê que os mais eminentes que lhe são dados comumente são desprezados. Que cada um, pois, que deseja que a igreja seja fortalecida contra os estratagemas e contra os assaltos dos lobos, trate, como Paulo, de estabelecer a autoridade dos bons pastores. E, por outro lado, não há nada sobre o que estejam mais atentos os instrumentos do diabo do que em miná-la por todo meio que lhe esteja disponível.[7]

---

[7] João CALVINO, *Série Comentários Bíblicos: Gálatas, Efésios, Filipenses e Colossenses*, 449 (E-book Kindle).

> **2.30** *Porque, por causa da obra de Cristo, ele quase morreu, arriscando a própria vida, para suprir a ajuda que vocês não podiam me dar pessoalmente.*

Há pessoas dedicadas à *obra de Cristo*. Não há nada mais importante, excelso e glorioso do que essa obra, que consiste no cumprimento dos propósitos do Filho de Deus neste planeta. Nada rivaliza com o seu valor. Ela visa glorificar a Cristo e é levada a cabo pelo próprio Cristo por meio do seu povo.

As tarefas no reino de Cristo são as mais diversas; os dons utilizados, os mais diferentes. Observa-se também que existem variações no nível de dedicação a essa obra. Como disse acima, há pessoas dedicadas à obra de Cristo, mas há pessoas dedicadas à obra de Cristo a um preço pessoal altíssimo. Há pessoas que se expõem ao risco de morte devido à natureza do seu chamado e intensidade da sua paixão. É impossível imputar a elas que fizeram da religião fonte de lucro. A obra de Cristo lhes tomou tudo.

Epafrodito abriu mão da própria vida. Enfrentou a morte de modo deliberado. Encarou o perigo por amor e dever de consciência. Ele olhou para o mundo e o menosprezou por força de um amor maior, que a tudo abarcava na sua vida. Ele viu o risco de morte como desejável caso essa fosse a condição para cumprir a missão que lhe fora incumbida por Cristo por meio da igreja de Filipos. Ele pôs sua vida em jogo. Deus não lhe deu nenhuma garantia de que o preservaria. Ele não considerava vida aquela que apenas visasse a sua preservação. Seu conceito de vida consiste em fazer a obra de Cristo.

Não sabemos qual tipo de risco de morte ele enfrentou. Pode ser que Paulo estivesse falando da doença que o acometeu durante a viagem de Filipos a Roma, mas que ele não permitiu que o impedisse de servir a um estimado servo de Deus. Outra possibilidade está ligada ao seu relacionamento em Roma com um prisioneiro político.

O que é certo é que o seu contato com a proximidade da morte deu-se em razão do seu compromisso de levar ajuda ao apóstolo Paulo. A igreja de Filipos não pode estar pessoalmente em Roma a fim de ajudar ao prisioneiro de Cristo, por isso escolheu alguém que a representasse. Não passava pela cabeça de Epafrodito não cumprir a missão. Paulo, então, declara que homens como esse devem ser honrados.

FILIPENSES 3

> **3.1** *Quanto ao mais, meus irmãos, alegrem-se no Senhor. Escrever de novo as mesmas coisas não é um problema para mim e é segurança para vocês.*

O tema dominante na carta é a alegria no Senhor. Paulo retorna a ele, como se dissesse: "Quanto ao que ainda falta ser dito, meus irmãos, alegrem-se no Senhor". A questão que logo nos assoma é referente à plausibilidade dessa exortação. Como pode ser feita? O que a fundamenta? Qual sua razão de ser? Isso não significa pedir dos seres humanos o que eles não podem dar?

As respostas somente serão obtidas se analisarmos essa impressionante declaração à luz do seu destinatário, esfera, fundamento e motivo. A primeira verdade a ser dita sobre esse chamado à alegria é que seria uma insensibilidade dirigi-lo a quem não conhece ao Deus que Cristo revelou, não nasceu de novo e, consequentemente, não é irmão. Não se pode esperar que não cristãos se comportem como cristãos. Quem não faz parte da família de Deus não pode jamais ser objeto dessa exortação. O não cristão não tem de onde tirar essa alegria incircunstancial. Para o cristão, o simples fato de alguém que não conhece as fontes de água viva estar de pé se lhe afigura como um enigma.

A vida sem Cristo é absurda. Tão cruel, que o acaso cego não seria capaz de concebê-la, só um demônio. Viver sem descanso a totalidade da existência, para, no final da vida, nos separarmos eternamente de tudo e de todos que amamos, sem que tenha havido o mínimo sentido para o que fizemos ou deixamos de fazer é a própria visão do inferno. Como disse o pastor Oskar Pfister numa carta endereçada a Freud:

> Não compreendo bem sua visão da vida. É impossível que aquilo que o senhor rejeita como fim de uma ilusão e que proclama como único conteúdo verdadeiro seja tudo. Este mundo sem templos, belas artes, poesia, religião é aos meus olhos uma ilha diabólica, para a qual somente um satanás, não o acaso cego, poderia desterrar pessoas. Neste caso seu pessimismo para com a humanidade inútil é muito moderado; o senhor na verdade deveria traçar com muito mais sequência a miserabilidade. Se pertencesse à cura psicanalítica o convencer os pacientes de que este mundo saqueado é o supremo conhecimento da verdade,

eu compreenderia muito bem que as pobres pessoas prefeririam refugiar-se na clausura da sua doença do que mudar para este horrível deserto de gelo.[1]

O cristão tem dificuldade de aconselhar quem não crê. Isso é um fato, uma vez que o próprio cristão não consegue se imaginar no lugar de quem não conhece Cristo. Se tiver de dar conselho, será nos termos da visão de mundo do que ignora o evangelho de Cristo, o que, em não poucas ocasiões, se lhe apresenta como desprovido de sentido. Por isso, os cristãos evangelizam antes de aconselhar.

Há outro ponto que merece nossa mais profunda consideração. Existem conceitos diferentes de alegria. O regozijo sobre o qual Paulo proclama é o regozijo no Senhor. Essa é uma alegria que o mundo ignora, mas que sempre será a única capaz de se adaptar às mais profundas necessidades e aspirações do espírito humano. Não há descanso para a alma fora da comunhão com o seu Criador.

Um mandamento como esse só faz sentido se as seguintes precondições forem atendidas: primeiro, alma para sentir. Tem de haver paladar para esse vinho que Cristo oferece. Volto ao ponto: tem de ser irmão. Mesmo entre os irmãos há diferenças de tamanho de cálice. Uns são maiores do que outros. A ambição e sensibilidade espirituais variam de pessoa para pessoa. Segundo, um motivo de alegria capaz de responder aos contrapontos da tristeza. Por isso, se Deus não for o fundamento da felicidade, estamos desperdiçando o nosso tempo ao falarmos sobre uma alegria da qual estamos separados por fosso intransponível. Essa é uma felicidade que, para ser real, precisa vir acompanhada da certeza de não ser perdida. Quem pode bancar uma empreitada dessa natureza? Essa promessa de alegria tem de ser adaptável ao espírito humano, atender às expectativas da alma, preencher os espaços abissais do coração de cada homem e mulher.

Como obter a alegria cristã, tão fundamental para que vivamos bem, suportemos as lutas diárias e tornemos nosso testemunho de vida atraente ao que não crê? Observe que Paulo não estimula ninguém a esperar que algo aconteça ao seu espírito a fim de que finalmente o coração se encha de alegria. Ela deve ser buscada. Como buscá-la?

O segredo da vida cristã consiste na séria meditação sobre o significado de estar no Senhor. É tudo o que Paulo pede. Pense no antigo amor de Deus pela sua vida. Antes de ele dizer para o universo: "Haja luz" (Gn 1.3), disse,

---

[1] FREUD e PFISTER, *Cartas entre Freud e Pfister*, p. 154.

nos seus propósitos eternos, para você: "Haja salvação". Associe a isso a percepção da misericórdia manifestada na sua conversão. Ele simplesmente se recusou a deixá-lo chorar o choro eterno. Medite sobre esse cuidado pastoral, que o faz usar o seu poder soberano para a promoção da sua felicidade eterna. Olhe para Cristo morto na cruz por amor a você. Enxergue todas as coisas sob a perspectiva da ressureição e retorno triunfal de Cristo. Da mesma forma que ele disse que não ficaria pedra sobre pedra no templo de Jerusalém, não ficará pedra sobre pedra no templo da impiedade. O amor sairá vitorioso, e todos os absurdos da história serão vistos sob o ponto de vista do plano eterno, santo, justo e sábio de Deus.

Pegue tudo isso e comece a cantar, orar, adorar. Fale sobre os motivos da esperança. Confronte o espírito de murmuração. Apascente sua alma. Diga para ela: Quais os motivos do seu abatimento? São razoáveis? Deus se esqueceu de ser bom? Alguém amarrou seus braços, impedindo-o de cumprir pelo seu poder o que anela realizar no seu amor? Quem tem a palavra final no universo?

Paulo expressa o desejo de não enfastiar a igreja de Filipos com sua ênfase em alguns temas, que o faziam repetir certas verdades. O que não o aborrecia deveria também não aborrecer a igreja. Faz parte da quintessência do ensinar a repetição. Os pontos nos quais insistia não eram triviais e de sua observância dependia a segurança espiritual da igreja.

Há muita disputa sobre o que Paulo estaria declarando na parte final desse verso. Há quem acredite que ele estivesse falando sobre o tema da alegria, enquanto excelentes comentaristas são da opinião de que ele estaria falando sobre os pregadores judaizantes, que ensinavam que para um gentio ser salvo era necessário que se tornasse judeu. Outro ponto de discussão é se Paulo estaria falando sobre uma outra carta que havia escrito aos filipenses, que por algum motivo não foi preservada. O certo é que tanto o tema da alegria quanto o da heresia judaizante são importantes para a segurança espiritual da igreja. O primeiro por se tratar daquele estado de alma que tende a fazer tudo funcionar melhor na vida do que crê. Como declara o livro de Neemias: "Portanto, não fiquem tristes, porque a alegria do Senhor é a força de vocês" (Ne 8.10). O segundo, por se tratar de uma heresia que descaracteriza o evangelho, traz a igreja para o Antigo Testamento e mina essa mesma alegria sobre a qual Paulo tanto fala.

Para todo pregador, fica esse dever de casa de responder à seguinte pergunta: quais doutrinas devem ser regularmente proclamadas à igreja?

> **3.2** *Cuidado com os cães! Cuidado com os maus obreiros! Cuidado com a falsa circuncisão!*

A alegria e a segurança espirituais dependem da adesão moral e intelectual à verdadeira doutrina. Negligenciar a verdade remete a igreja não apenas para longe do cristianismo ensinado por Cristo como também para longe das respostas cristãs para os problemas com os quais o cristão se defronta. É impossível entender como igrejas inteiras podem ceder nesse ponto, tornando a comunhão com Deus baseada na revelação trazida pelo seu único Filho em ficção criada pelo homem.

Essa é uma das passagens bíblicas que mais nos ajudam a corrigir aquela postura de suposto amor que negocia a verdade. Paulo é duro com as heresias e os seus porta-vozes. Ele chama a igreja a montar guarda contra os que são chamados de *cães*. O teor e a intenção da exortação são claros: que a igreja mantenha constante vigilância contra o ingresso em seu seio de homens que solapam os fundamentos da fé cristã. Tudo depende dessa atitude. A igreja desmorona sem o fundamento da verdade revelada.

Paulo usa para esses falsos pregadores o mesmo tratamento que um judeu dava a um gentio. São chamados de cães por que são impuros, raivosos, vivem da ingestão de lixo, perambulam sem destino certo. O que esses pregadores representam para a vida dos verdadeiros cristãos não poderia ser apresentado de modo a causar mais repulsa na igreja, que deve vê-los como Deus os vê. Trata-se de uma luta pela preservação da saúde da igreja a partir da defesa do evangelho.

Eles são considerados *maus obreiros* porque atuam nas igrejas, fazendo-se passar por proclamadores da verdade. São industriosos, zelosos e dedicados à tentativa de fazer acréscimos ao evangelho que o descaracterizam por completo. São maus porque seu trabalho não edifica, somente serve para adoecer a igreja e afastá-la de Cristo.

Apontar para o erro, chamando-o pelo nome, é visto nessa passagem como essencial. De modo sarcástico, Paulo os chama de apregoadores da mutilação. "Olhem para essa gente", diz Paulo. "Tudo o que fazem é mutilar pessoas. Arrancar literalmente pedaço de pele do seu corpo". No grego, a palavra que na língua portuguesa veio traduzida por *circuncisão* tem o significado de "mutilação". Isso se deve ao fato de que a circuncisão que pregavam não ser a verdadeira circuncisão prescrita por Deus no Antigo Testamento, que agora havia caído em desuso em razão de todas as leis cerimoniais terem sido abolidas pelo evangelho de Cristo. Como não há mais circuncisão, o que resta é a mutilação, prática inócua que consiste na observância do que Deus não pede do homem. Aí está a questão.

Aqueles falsos obreiros declaravam que se um gentio convertido à fé cristã não se tornasse judeu, de modo algum entraria no reino dos céus. A principal marca dessa conversão ao judaísmo era a circuncisão, condição considerada indispensável para um homem ser salvo. Paulo olha para tudo isso e é tomado de ira. O que ele tinha a dizer? "Esses homens estão pedindo dos seres humanos o que Deus não está pedindo. Se cedermos nesse ponto, a porta estará aberta para transformamos cristianismo em judaísmo. Foi-se a liberdade cristã. Se há necessidade de obedecer à lei num ponto, por que não chamar a igreja para se sujeitar a todo o resto? É o fim do evangelho. Não há mais justificação pela fé, mas sim justificação pelas obras da lei. Como ter alegria na vida se a salvação está baseada em desempenho moral e não na graça de Deus?" Se Paulo tivesse cedido, não teríamos hoje o cristianismo e tudo aquilo que fez com que ele obtivesse o que o judaísmo jamais obteria: a adesão de homens e mulheres de todas as eras, culturas e nações.

Que fique esta lição: o amor exige adesão à verdade.

3.3 *Porque nós é que somos a circuncisão, nós, que adoramos a Deus no Espírito e nos gloriamos em Cristo Jesus, em vez de confiarmos na carne.*

Que extraordinário sumário da vida cristã, do espírito do cristianismo, do evangelho de Cristo e do que distingue o evangelho de tudo o que é apregoado pelas demais religiões!

Existe a autêntica relação com Deus e a falsa relação com Deus. Existe a verdadeira circuncisão e a falsa circuncisão. Toda a diferença está contida nessa declaração do verso 3. Olhe para aqueles homens. Circuncidados e em busca da salvação por meio da justiça própria. Eles olham para o céu e dizem a Deus: "veja a manifestação da minha fé mais profunda: estou circuncidado". Paulo descreve Deus dizendo para esses homens: "Eu jamais pedi isso de vocês".

Mesmo no período da vigência do ritual da circuncisão, havia aqueles que se davam por satisfeitos em razão do aparente sinal do verdadeiro culto, mas sem expressarem a mínima conexão interna. Parte da pele do pênis havia sido cortada, mas o coração não havia sofrido o corte do Espírito Santo, que santifica as afeições, redireciona a vida e torna o ser humano um amante daquele que o criou.

Existe a verdadeira circuncisão. Paulo a reconhece na vida dos judeus e gentios cujo coração foi circuncidado pela graça divina. Eles haviam se reconciliado com Deus por meio de Cristo. Uma navalha passou pelo coração deles. Marcados para sempre, não podiam voltar mais à velha vida. Uma vez convertidos pela graça, passaram a prestar a Deus um culto simples, puro, santo, belo, descomplicado. Eles olhavam para o Antigo Testamento e diziam: "Saímos do jardim de infância da fé. Estamos livres dos símbolos, vivemos agora a realidade".

Quais os efeitos dessa marca eterna no coração deixada pelo Espírito Santo? Aquelas pessoas passaram a adorar Deus de forma espontânea, livre e prazerosa. Elas viam excelência em Deus. Elas eram levadas a cair de joelhos e declarar seu encanto a Deus por conhecer um ser autoexistente, imutável, independente, infinito, único, santo, doce, fiel, sábio, justo e que no tempo e no espaço revelou seu amor na entrega do único Filho a fim de que redimisse os pecadores das suas iniquidades. Eles aprenderam a fazê-lo na pagã Filipos, enquanto andavam nas ruas, contemplavam seus campos, divisavam o firmamento, cultuavam nas casas nas quais a igreja se reunia. Essa adoração é também vista na reprodução da vida de Cristo, que move o circuncidado a ajudar o pobre, ter compaixão pelo que sofre, ficar sempre do lado da justiça, ser honesto no exercício da sua profissão, servir aos irmãos e fazer do seu retorno ao lar o retorno de um anjo com o qual todos amam conviver.

Stanley Jones (1884-1973), teólogo e missionário metodista, ressalta a diferença entre aparência e realidade na cultura das mais diferentes igrejas. Após fazer uma viagem aos Estados Unidos, ele conta ter ficado impressionado com a crescente grandeza dos prédios de adoração, os templos elaborados com sofisticação, as vestes do coral da igreja e a ornamentação do ritual e da liturgia:

> Se a vida segue essa linha, o Catolicismo Romano a teria, porque ele faz o protestantismo parecer amador nesse campo. A Europa está cheia de imponentes catedrais e o ar viciado do cristianismo, procissões e paralisia religiosa. Não, esse não é o caminho da vida; todavia, sentindo o vazio por dentro, acrescentamos o que é exterior, esperando que a aparência de vida fará a vida aparecer. A história diz que não faz.[2]

Como explicar essa adoração num mundo que não vê beleza em Deus? Paulo declara que somente o Espírito Santo pode viabilizá-la. Isso não nasce com o homem. É implantado pela graça. É dado. Há pessoas neste planeta que chamam Deus de sua divina delícia, como Agostinho o fazia. Como

---

[2] Edward HASTINGS, *The Epistle to the Phillipians and The Epistle to the Colossians*, p. 60.

explicar esse fenômeno? Um milagre da graça! Há gente neste mundo que tem o Espírito, é movida, incitada, inflamada pela terceira pessoa da Trindade. Glória ao Espírito! Santa compulsão!

Apesar da prática de boas obras, incitada pela graça — uma vez que a fé verdadeira é sempre operosa —, esses adoradores não se gloriam no seu desempenho moral, mas em Cristo. Eles se gabam de conhecer a Cristo. Não é que eles olham com olhar de superioridade para as demais pessoas, mas que não conseguem esconder (acima de tudo, de si mesmos) que conheceram Jesus, que se lhes tornou sabedoria, justiça, santificação, redenção, esperança.

Em suma, eles não confiam na carne. Não creem que possam agradar a Deus sem a fé no evangelho, vivendo a antiga vida, praticando as velhas obras de compensação de pecados que não podem ser apagados. Eles não consideram os feitos do corpo. Esmolas, orações, evangelismo, martírio, conhecimento teológico, o que fosse, nada disso é tido por eles como meritório. Eles somente se gloriam no sangue de Cristo. Humilde alegria caracterizava a vida deles.

> **3.4** *É verdade que eu também poderia confiar na carne. Se alguém pensa que pode confiar na carne, eu ainda mais.*

Paulo declara que, de certa forma, sua teologia não lhe era conveniente. Ela o fazia desconsiderar a sua história, romper relação com o seu próprio povo e corrigir uma tradição religiosa que ele muito amava e era incapaz de menosprezar. Sua intenção é deixar claro para os membros da igreja de Filipos o quanto o evangelho o fez rever toda uma concepção de vida e que, numa análise comparativa entre sua vida e a dos judaizantes, ninguém mais renunciou o que lhe era caro do que o próprio apóstolo Paulo.

Os judaizantes pregavam mensagem que levava pessoas a ganharem autonomia em relação ao evangelho, deixando assim de se gloriarem em Cristo para se gloriarem na carne. O que Paulo tem a dizer a todos? "Ninguém temeu mais a Deus do que eu!" Ele não encontrou rivais para sua busca obstinada por paz de consciência. Ele entendia a religião das obras. Do ponto de vista da performance que visa ganhar o amor de Deus, não houve quem dispusesse de mais privilégios e mais lutasse para ser tido como justo. É como se dissesse: "Se tivesse de ver a relação da criatura com o Criador na perspectiva do movimento judaizante, seria levado a todos garantir que, se houve alguém com motivo para basear sua salvação em mérito, esse alguém foi eu. Não sei como eles conseguem buscar a paz com Deus nessa base, porque pela minha própria experiência, depois de a tudo me submeter, vivendo da forma mais rigorosa que se possa imaginar, o que colhi foi tormento".

Estamos diante de um impressionante testemunho, que consiste num relato a ser levando em consideração por todos os seres humanos de alma religiosa, que buscam ganhar a afeição divina por meio da obediência radical a ritos e mandamentos. Essa autoexposição, presente também em outras passagens bíblicas, é uma das grandes contribuições do apóstolo Paulo para a história da humanidade. Estamos perante a biografia de um ser humano que, depois de ter feito tudo para agradar a Deus, em vez de encontrar o Pai, encontrou um senhor implacável, que o mandava de volta para a senzala espiritual a fim de pagar o que devia.

Da compreensão do que essa biografia extraordinária quer nos ensinar depende o sucesso do empreendimento de não transformarmos as instituições religiosas em ambientes que fomentam as mais diversas psicopatologias.

> **3.5** *Fui circuncidado no oitavo dia, sou da linhagem de Israel, da tribo de Benjamim, hebreu de hebreus; quanto à lei, eu era fariseu.*

Havia motivos para Paulo basear na carne a sua comunhão com Deus e a esperança de salvação. Tudo o que ele deseja dizer é que, apesar de ter ido longe na sua tentativa de obter redenção pelos seus méritos, havia chegado à conclusão de que tomara um caminho sem saída, que o remetia para um labirinto moral que nunca poderia satisfazer as exigências de uma consciência sobrecarregada de tormento e culpa. Estamos, portanto, perante o relato de vida de quem levou a sério o tema da salvação.

O primeiro motivo de orgulho ao qual estava sujeito residia na história contada pelos seus pais de que ele havia sido circuncidado no oitavo dia. Paulo não tinha na memória a experiência de olhar para o seu corpo e não ver o sinal da circuncisão, que lhe fora ministrado no exato dia prescrito pela lei.

Paulo não era prosélito. Era descendente de Jacó, cujo nome, após extraordinária experiência de conversão, havia mudado para Israel. Seu envolvimento com o judaísmo era de berço, uma vez que pertencia à linhagem de Israel, da qual estava tão seguro, que era capaz até mesmo de mencionar a tribo da qual era descendente. Paulo era benjamita.

Benjamim era filho de Raquel, a esposa amada de Jacó. O primeiro rei de Israel, de quem Paulo levava o nome, era benjamita. Benjamim foi a única tribo que permaneceu fiel a Judá na separação ocorrida durante o reinado de Roboão (1Rs 12.21). Após o retorno do exílio, ela formou com Judá o núcleo da nova colônia na Palestina (Ed 4.1), onde está situada a cidade santa. Dos 12 patriarcas, Benjamim foi o único que nasceu na terra da promessa. A data comemorativa da grande libertação nacional celebrada na festa do Purim deve-se a Mordecai, um benjamita. Sobre a tribo de Benjamim, Moisés dizia: "De Benjamim disse: 'O amado do SENHOR habitará seguro com ele; todo o dia o SENHOR o protegerá, e ele descansará nos seus braços'" (Dt 33.12). Paulo não era miscigenado. Não havia nele sangue pagão: *hebreu de hebreus*. Ele não era apenas descendente de Abraão, mas também de Isaque e Jacó.

Até aqui, ele relatou o que ocorreu na sua vida à sua revelia. Bênçãos herdadas por pura graça, privilégios aos quais tivera acesso, pelos quais, por motivos óbvios, não pudera lutar. Em razão da história do seu nascimento e educação, ele se tornou um homem profundamente preocupado com a lei. Ele conhecia o seu conteúdo, suas promessas e ameaças. A lei o fazia tremer, por isso, envolveu-se com a seita mais radical do judaísmo, o farisaísmo, cuja meta precípua consistia em estudar a lei, preservar o seu conteúdo e não deixar que o povo de Israel fosse helenizado. Diz William Hendriksen:

> O farisaísmo em sua origem não foi tão mau quanto chegou a ser. Esta seita religiosa se formou durante o período intertestamentário, como reação aos abusos dos abandonados e indiferentes judeus que haviam assimilado o espírito helenístico em seu aspecto negativo. Assim, os fariseus ou separatistas haviam se separado das pessoas mundanas. Abstinham-se da política e fincavam o pé na pureza religiosa. Aceitavam toda a Torá, as doutrinas da imortalidade da alma, a ressurreição do corpo e a existência dos anjos. Não eram patriotas como os zelotes, radicais como os saduceus, nem politiqueiros como os herodianos.[3]

Vale uma nota de observação quando pensamos na origem tão auspiciosa do movimento farisaico. Cristo os criticou frontalmente. Onde se perderam? Seus grandes erros consistiram no valor excessivo dado ao seu sistema de interpretação legalista, que se sobrepunha à própria lei, sepultando-a sob o peso das suas tradições (Mt 7.13), e quando começaram a crer que pela estrita adesão à lei, assim interpretada, poderiam lograr a vinda do Messias e assegurarem-se da entrada no reino dos céus.[4] Um modelo de espiritualidade como esse estará sempre fadado à neurose, hipocrisia, infelicidade e justiça própria. Não existe mundo pior para viver.

---

[3] William HENDRIKSEN, *Filipenses: Comentario del Nuevo Testamento*, p. 178.
[4] Idem, p. 179.

Eis o currículo de um homem que tudo fez, tanto para honrar as tradições das quais era herdeiro, quanto para agradar a Deus. Agora, contudo, foi encontrado voltando-se contra o que um dia estimou e fazia parte da sua vida.

> **3.6** *Quanto ao zelo, perseguidor da igreja; quanto à justiça que há na lei, irrepreensível.*

Nem sempre os seres humanos são capazes de viver à altura dos seus pressupostos intelectuais. Defendem com os lábios o seu sistema de pensamento, mas o negam com a vida. Sabemos de pessoas que passaram a totalidade da sua existência defendendo a falta de sentido para a vida, a inexistência de valores morais absolutos, o caráter socialmente construído das normas que regem a vida em sociedade, mas que foram vistas se comportando de modo oposto ao que apregoaram, vivendo como se a vida tivesse significado e defendendo causas que não fazem o mínimo sentido para seu sistema de crença.

Paulo era coerente com seu sistema de pensamento e valores. Ele acreditava na existência objetiva de um Deus capaz de se irar com o que os homens fazem ou deixam de fazer. Por esse motivo, ele dedicou sua vida ao objetivo de não ser julgado e condenado por Deus. Estamos, portanto, perante o testemunho de alguém que apaixonadamente buscou ganhar o favor de Deus mediante trabalho duro. Não acredito que haja paralelo na história da humanidade para esse tipo de aspiração espiritual.

Paulo, ao olhar para aquele período da sua vida, descreve a si mesmo como um judeu intenso na sua busca religiosa. Como exemplo do seu zelo radical, ele menciona a forma como se comportou ao tomar conhecimento do surgimento do cristianismo. Ele o odiava. Identificava na fé cristã a presença de uma heresia que, caso não fosse combatida, tornaria Israel exposto a ser julgado por Deus. O movimento farisaico nasceu e foi alimentado pelo trauma das tragédias que se abateram sobre Israel em razão dos seus reincidentes rompimentos com o pacto que fizera com Deus. Isso o levou a não apenas discursar contra o cristianismo, mas a perseguir os cristãos a fim de que a heresia cristã morresse com a morte dos cristãos.

Toda essa fúria voltada contra uma minoria estava inserida dentro do contexto de uma forma de viver que em tudo era regulada pela Torá. Ao olhar para a justiça que a Lei promete aos que a observam, sentia irresistível atração de alcançá-la. Sua obsessão por viver em conformidade à lei mosaica e suas façanhas morais o tornaram imune a qualquer palavra de repreensão.

Um atleta religioso. Absorvido completamente pela cultura espiritual da qual era herdeiro, não dava descanso a si mesmo.

Ao dizer que todo esse impressionante histórico de desempenho religioso em nada contribuía para a sua salvação, Paulo não apenas pode ser visto desferindo um golpe mortal no modelo de espiritualidade judaico, mas também apresentando os fundamentos da crítica a ser feita a culturas supostamente cristãs que em tudo divergem do cristianismo de Cristo. Como, por exemplo, identificar o reino de Cristo com um estado-nação qualquer, por mais que a sua história esteja amalgamada à história da igreja? Paulo percebeu que era inconcebível circunscrever o reino de Cristo a Israel.

Chama a atenção, à luz desse verso, os crimes praticados por crentes movidos pelo zelo cego, a tendência de nos darmos por satisfeitos em razão da observância de práticas morais e cerimoniais que não nos tornam justos aos olhos de Deus, por mais fanático que seja o nosso comportamento. O que falar sobre a incapacidade de os cristãos se lembrarem de que, um dia, foram minoria perseguida?

> **3.7** *Mas o que para mim era lucro, isto considerei perda por causa de Cristo.*

Sugiro que, nesse momento do exame da Carta aos Filipenses, você faça uma oração a fim de que Cristo se revele a você. Os versos 7 a 11 foram designados para aprofundar a nossa estima por Jesus. Não há nada mais glorioso do que contemplar Jesus na beleza do seu amor sacrificial, divisar o seu valor, mensurar as glórias que se seguem ao encontro mais íntimo com ele e expressar a ele o amor que jamais fomos capazes de transformar em oração. Que passagem santa!

Paulo trabalhou como ninguém trabalhou. Fez o que estava ao seu alcance para se sentir amado por Deus. Não há como não pensar nessa hora na vida do grande reformador Martinho Lutero:

> Quando eu era um monge, esforçava-me, com máxima diligência, em viver segundo a prescrição da regra monástica. Costumava confessar e enumerar os meus pecados, sempre, porém, com a contrição precedente, e repetia, muitas vezes, a confissão e cumpria, zelosamente, a penitência a mim infligida. E, contudo, a minha consciência nunca podia alcançar a certeza, mas sempre duvidava e dizia: "Isso não fizeste corretamente, não foste suficientemente contrito, isso deixaste fora enquanto confessavas", etc. Quanto mais, portanto, tentava curar a minha incerta, fraca e aflita consciência com tradições humanas, tanto mais a tornava incerta, fraca e perturbada. E, desse modo, observando as tradições humanas, transgredia-as ainda mais e, indo no encalço da justiça da ordem monástica, nunca pude aprendê-la.

Pois é impossível, diz Paulo, tranquilizar a consciência com as obras da lei, muito menos, com as tradições humanas, sem a promessa e o evangelho de Cristo.[5]

Paulo e Lutero faziam parte dessa espécie de ser humano que tem como certa a existência de um Deus santo, que exige de todos sujeição à sua vontade e declara que quem não cumpre a lei do amor não entrará no seu reino. Esses homens sentem-se petrificados diante de tamanha desgraça: ser privados da comunhão com Deus. Muitos deles vivenciaram um longo histórico de suor e sangue a fim de chamar a atenção de Deus e ganhar o seu amor.

Durante um tempo, eles creram que algumas das suas realizações morais podiam ser inseridas na sua tabela de ganhos e lucros. Contudo, do outro lado da balança, estava o peso do pecado que tenazmente os assediava, ao qual cediam e os faziam crer que jamais seriam aceitos por Deus. A religião sem a mediação de Cristo é um inferno. A própria Bíblia sem a luz do evangelho é um perigo à saúde psíquica do ser humano.

Quando Cristo é finalmente apresentado a esse homem que tudo fez para conquistar o amor, ele passa a ser visto como água para o sedento, pão para o faminto, luz para o que se encontra em trevas, escudo para o que sofre os golpes desferidos pela lei. A doçura do conhecimento do Cristo que redime, acolhe e encoraja o que pecou a ir na direção do Pai a fim de receber o seu abraço faz com que todas as conquistas morais sejam consideradas como o mais traiçoeiro perigo que assedia a alma humana. Castidade, honestidade, caridade passam a ser vistas como pecado por não procederem de fé. Todos os nãos para o adultério, a mentira, a covardia, a desonestidade são vistos como fatos da vida a serem ignorados a fim de que o coração suspire por Cristo, procurando nele encontrar o que lei, convenções sociais e respeitabilidade não são capazes de oferecer.

> **3.8** *Na verdade, considero tudo como perda, por causa da sublimidade do conhecimento de Cristo Jesus, meu Senhor. Por causa dele perdi todas as coisas e as considero como lixo, para ganhar a Cristo.*

Como uma pessoa pode considerar perda virtudes como castidade, honestidade, temperança, esmola, conhecimento teológico, observância de ritos sacramentais? Não há dúvida de que Paulo não menosprezava essas virtudes em si. Praticadas de maneira apropriada, sob correta motivação, fazem parte do conjunto de manifestações do caráter de Deus. Seu maior temor consistia

---

[5] Martinho LUTERO, *Obras selecionadas*, Vol. 10, p. 441.

no pecado de fazer o bem. Quando a ética se transforma em perda? O lado mais pernicioso dela é o que nos faz sentir satisfeitos com o nosso desempenho moral a ponto de nos tornarmos refratários à ideia de batermos no peito e clamarmos a Cristo: "Ó Deus, tem pena de mim, que sou pecador!" (Lc 18.13).

O que fez com que o caminho da Lei perdesse o seu brilho? Sem a mínima dúvida, o fulgor da revelação que Cristo fizera de si mesmo, na estrada de Damasco, ofuscou tudo aquilo que luzia na vida do apóstolo Paulo. Ele provou do poder expulsivo de um novo amor. Uma nova paixão tomou posse da sua vida, incitando exclusividade. Ele podia dizer: "Essas coisas são boas, santas e justas, mas diante do que acabei de ver, sou levado a indagar sobre o sentido de todas elas. O que me oferecem que possa rivalizar com o que encontro em Jesus?".

Ele encontrou um caminho de redenção, honra, glória e incorruptibilidade que se lhe afigurou como o único que poderia levá-lo ao que a vida inteira ardentemente almejou. Ele havia compreendido que o caminho era Cristo, mas não apenas isso, Cristo era justamente aquele para quem deveriam convergir todas as suas aspirações por felicidade nesta vida e na vindoura. Estamos, portanto, perante um homem que, após considerar como prejudiciais à alma todas as ofertas de salvação baseadas em desempenho, decidiu tornar a maior ambição da sua existência conhecer e amar a Cristo.

Ele queria a *gnosis* de Cristo. Ele via esse conhecimento como o que de mais sublime existe na vida. Nada nos ajuda a entender mais essa passagem do que a declaração que ele próprio fez em Colossenses 2.2-3: "Faço isto para que o coração deles seja consolado e para que eles, vinculados em amor, tenham toda a riqueza da plena convicção do entendimento, para conhecimento do mistério de Deus, que é Cristo, em quem estão ocultos todos os tesouros da sabedoria e do conhecimento". Em que consiste a sublimidade desse conhecimento? No fato de Cristo ser o verbo de Deus, o Filho de Deus, o amado de Deus. Não há nada mais amável no cosmos. O Leão e o Cordeiro. A majestade associada à humildade de espírito. A autoridade soberana unida à misericórdia. A inflexibilidade santa ligada à condescendência mansa e gentil. Em suma, tudo o que vimos em Filipenses 2.5-11.

Qual a natureza desse conhecimento? Sem a mínima dúvida, Paulo não está falando apenas sobre doutrina. Trata-se de algo que envolve a razão, a cognição, a revelação proposicional. O ponto de partida é a compreensão do que o próprio Cristo falou sobre si mesmo. Esse conhecimento, entretanto, é o conhecimento que os demônios têm, que Judas teve e que, no retorno de Cristo em glória, terão os ímpios que estiverem vivos, mas que nem por isso se converterão. O que está sendo falado é sobre o conhecimento da pessoa, acompanhado do senso de maravilha, encanto, louvor. O conhecimento salvífico vem sempre seguido pelo elemento de confiança: a convicção de que ele é o Redentor do homem, que nele temos ampla provisão para o nosso pecado e que ele é verdadeiro ao dizer que pela fé nele somos justificados dos nossos pecados.

Paulo não conseguia falar sobre esse tema sem se comover. Ele teve de dizer: *meu Senhor*. Aqui há uma nítida nota de amor, comoção, adoração. É como se dissesse: "A ele me submeto, uma vez que não há ninguém mais amável e interessado na minha vida". Como carecemos dessa teologia, capaz de transformar a elaboração teológica em doxologia.

O que Paulo considerava como perda veio a ser, de fato, completamente trivializado por ele. Ele perdeu o que já estava morto no seu coração. Essa é a meta da verdadeira espiritualidade: o poder expulsivo do amor por Cristo tornar o comportamento espontâneo, inevitável, desejável. O que ele perdeu, vale a pena destacar, lhe custou caro. Representou ruptura com pessoas, instituições, tradições, culminando em um ódio do qual se tornou objeto e que o acompanhou pelo restante de sua vida.

Sua ânsia de estabelecer bem o ponto e o que se passava no seu coração o levou a falar da forma mais enfática possível, usando uma metáfora que muitos podem julgar mal-educada. Ele afirma ter considerado tudo como *lixo* ou "esterco" (*skubalon*, em grego). Alguns autores preferem interpretar como resto de comida lançado para cachorro. O que ele quer dizer, de uma forma ou de outra, é que todos os caminhos que lhe foram apresentados como meios de redenção passaram a ser vistos como imprestáveis, inúteis e até mesmo repugnantes. Como não considerar repulsivo o que tenciona ocupar o lugar da graça de Cristo e da pessoa de Cristo em nossa vida? Não se oferece lixo a Deus. Como afirma Karl Barth:

> *Skybala* pode sem hesitação ser bem traduzida por lixo, sujeira, estrume, excremento: é o caso de alguma coisa que, uma vez lançada fora, nunca mais é tocada ou até mesmo olhada novamente. Está estabelecido, fundamental e imutavelmente, que não pode haver nenhum retorno, seja bem observado, não para a minha impiedade, mas para a minha bondade.[6]

A única oferta que Deus aceita é a mesma que ele ofereceu aos seres humanos: o Cordeiro santo, que tira o pecado do mundo. Em todas as

---

[6] Karl BARTH, *The Epistle to the Phillipians*, p. 98.

religiões o homem é visto trazendo ao altar uma oferta para ganhar o favor da divindade. No cristianismo, Deus é o ofertante.

O grande vetor da sua vida era Cristo: *para ganhar a Cristo*. Ele já podia chamar Jesus Cristo de seu Senhor e considerar a si mesmo servo de Cristo. Paulo não estava lutando por algo que não tinha. Embora pudesse falar: "Eu sou do meu amado, e o meu amado é meu" (Ct 6.3), ele queria mais de Cristo. Ele sabia, contudo, que a salvação é obra completa. A mesma fé que se apropria da justificação conduz à renúncia de todas as coisas a fim de que Cristo reine no ser humano integral. A fé autêntica leva a perdas e ao ganho maior, que compensa tudo o que foi abandonado na conversão e nas conversões da vida. Como declara Gordon Fee: "Ganhar a Cristo requer a perda de todas as coisas antigas, porque ser rico em Cristo significa ser rico nele somente, não nele mais outros ganhos [...] a graça mais qualquer outra coisa anula a graça".[7]

> **3.9** *E ser achado nele, não tendo justiça própria, que procede de lei, mas aquela que é mediante a fé em Cristo, a justiça que procede de Deus, baseada na fé.*

Há versos das Escrituras que servem de sumário do evangelho. Esse é um deles. Se o entendermos, teremos entendido a mensagem central do cristianismo.

Não conheço descrição mais acurada de um cristão verdadeiro do que a que está contida nessa declaração inicial do verso 9: *ser achado nele*. Cristão é todo aquele que está em Cristo, ligado a ele como o ramo está ligado à árvore. União real, orgânica, vital. Não podemos confundir o "gente boa" com o cristão. Cristão é alguém que, pela graça de Deus, pediu para ser possuído por Cristo. Ele respira em Cristo, vive em Cristo, ama em Cristo, ora em Cristo.

A humildade é uma das marcas principais dos que estão em Cristo. Esses não têm *justiça própria, que procede de lei*. O cristão sabe que Deus é santo e, por ser santo, exige santidade dos seres humanos. Exigir santidade não significa exigir o trivial, o banal, o tolo, o inviabilizador da vida. Ele pede amor. Quem ama é justo. Ser justo significa cumprir a lei, viver em conformidade com a lei, passar pelo escrutínio da lei. A lei promete vida para quem a cumpre e anuncia maldição para quem a descumpre.

Como saber que cumprimos a lei? Quando amamos os seres humanos com o amor que temos pela nossa própria vida e amamos com exclusividade

---

[7] Gordon FEE. *Paul's Letter to the Philippians*, p. 320.

o Criador. Quem ama o Criador ama o que ele ama. Ele ama os seres humanos. Um mandamento conduz ao outro. Amamos a Deus, entregamos nosso Isaque a ele. Amamos ao próximo, condicionamos o modo como o tratamos pelo modo como tratamos a nós mesmos. Estamos perdidos. Desconhecemos ambas as formas de amor.

Buscar *justiça própria, que procede de lei* representa buscar alcançar as promessas da lei e fugir das suas justas ameaças por meio da obediência à lei. O cristão não tem essa esperança. Ele conhece a lei e conhece o seu coração. Sabe que o que a lei pede a natureza humana recusa-se a cumprir.

Os soberbos não têm parte com Cristo. Para estar em Cristo é absolutamente necessário que o ser humano não esteja mais na lei. Ele está em Cristo porque correu para Cristo após ter sido espancado pela lei. Ele está em Cristo porque Cristo o protege da lei. Ele está em Cristo porque em Cristo encontrou perdão e vida. Ele não tem a mínima esperança de comparecer perante o trono de Deus baseado nas vestes de justiça confeccionadas por ele próprio. Não ousa dizer a Deus que sua admissão à presença do Criador é questão de justiça. Ele tem como ato de profanação apresentar-se a Deus de modo tão inadequado. Ele sabe que a lei não está autorizada a introduzi-lo no Santo dos Santos. Somente Cristo pode fazê-lo.

Há uma justiça que satisfaz a todo aquele que foi moído pela lei e satisfaz ao próprio Deus. Há uma forma de os seres humanos se aproximarem de Deus sem que a mera ideia de pecadores com as mãos sujas de sangue comparecerem diante do seu Criador seja vista como um ultraje à santidade de Deus. Essa justiça é a justiça que Cristo oferece. Não sei como alguém pode julgar absurda a doutrina. Quando olho para o que o homem faz contra o homem, contra a natureza, contra o seu Criador, sou forçado a pensar no tema da comunhão do Deus santo com pecadores. Será que somente os que testemunharam os horrores dos campos de concentração nazistas estão habilitados a entender o ponto?

Aqui, estamos perante alguém que percebeu as imperfeições do seu amor. Sabe que exige do próximo o amor que não pratica. Tornou-se cônscio, portanto, de que as condições estabelecidas pela lei para que o ser humano obtenha a vida eterna são inviáveis. Um dia, ele ouviu o evangelho! O doce, amoroso e misericordioso Cristo, ao vê-lo em desespero moral, tomado de tremor e temor servis, o chamou para encontrar alívio e descanso para a sua alma no evangelho.

A condição para a obtenção dessa justiça, sem a qual ninguém será admitido à presença de Deus, é a fé em Cristo. A lei diz: obedeça e eu lhe darei vida.

Cristo diz: creia e eu lhe darei vida. A lei declara: apresento-lhe o trabalho a ser feito por você. Cristo declara: apresento-lhe o trabalho que eu fiz por você. A lei aponta para o amor a ser praticado por você. Cristo aponta para o amor que foi praticado por ele. A lei aponta para o horror da morte eterna para os que não trabalharam duro o suficiente. Cristo apresenta a glória da vida eterna para o que creram no trabalho que o Salvador fez em seu favor.

Essa justiça não é apenas a justiça de Cristo, mas também a justiça de Deus. Ela procede de Deus, pois Deus quer manter comunhão com os pecadores. Por que uma justiça provida pelo próprio Deus? Nada revela de modo mais esplendido a santidade de Deus do que essa declaração. Ele provê uma justiça para os seres humanos porque ele os ama, mas por ser santo era necessário que a restauração do relacionamento com seres que causaram tamanha destruição ao planeta atendesse às exigências da sua santidade, que sente repugnância pelo mal moral, e move o braço do onipotente a reprimir e julgar tudo o que se opõe à sua justiça.

O que Deus simplesmente fez foi enviar seu Filho bendito para cumprir a lei pelos pecadores e morrer no seu lugar. Os que estão em Cristo cumpriram a lei nele e morreram com ele. As exigências da lei com vistas à obtenção da vida eterna são satisfeitas em Cristo e aplicadas pela fé na vida dos que se encontram em Cristo. Não conheço nada mais comovente.

> **3.10** *O que eu quero é conhecer Cristo e o poder da sua ressurreição, tomar parte nos seus sofrimentos e me tornar como ele na sua morte.*

O cristão é fascinado por Cristo. O Pai vê beleza em Cristo. O cristão vê beleza em Cristo. A harmonia do Leão com o Cordeiro arrebata o coração da igreja. A perfeita união entre os atributos da realeza, soberania e poder, associados aos atributos da paciência, mansidão, graça, ternura e compaixão, fazem Cristo ser mais desejado do que o todo do universo. Sua santidade manifestada no mundo dos homens, que o levou a amar os párias, os pecadores, os pobres, os sofredores, causam espanto aos regenerados. A radicalidade do amor sacrificial, que redimiu quem tamanho ultraje cometeu contra a majestade divina, e o amor orientado a socorrer pessoas reais, cujos nomes são conhecidos pelo supremo pastor, a todos encanta. Os cristãos conhecem o mistério: Cristo é o Verbo que criou e correlacionou tudo o que foi criado. Ter a amizade de Cristo significa estar na companhia de quem mais nos ama, em cujo ser habita toda a plenitude da divindade, fonte de toda a sabedoria.

Por isso, os cristãos fazem do conhecimento de Cristo a maior ambição de sua vida. Como declara o poeta inglês Francis Quarles:

Se tenho tudo, mas não tenho a ti, que tenho?
Se não possuo a ti, qual o proveito do meu labor?
Se desfruto de ti, que mais desejo?
Tendo apenas a ti, que me falta?
Não desejo nem mar nem terra, nem gostaria de
Possuir o próprio céu, se o céu não te possuísse a ti.[8]

Os cristãos sabem que Cristo prometeu se manifestar aos que o amam: "Aquele que tem os meus mandamentos e os guarda, esse é o que me ama; e aquele que me ama será amado por meu Pai, e eu também o amarei e me manifestarei a ele" (Jo 14.21). Eles se agarram a essa promessa. Anelam por essa súbita, surpreendente e feliz manifestação do Cristo real. Esperam conhecê-lo a ponto de prestarem a ele o culto que Maria prestou, personagem bíblico que os cristãos mais deveriam invejar: "Então Maria, pegando um frasco de perfume de nardo puro, muito precioso, ungiu os pés de Jesus e os enxugou com os seus cabelos. E toda a casa se encheu com o cheiro do perfume" (Jo 12.3).

Esse conhecimento é experimental, vivo, real e sempre deságua em adoração, esperança arrebatadora, menosprezo pelo mundo, anelo por estar com ele, entrega radical da vida para o louvor da sua glória.

Conhecer Cristo significa provar do poder da sua ressurreição. A vida vence os grilhões da morte a fim de, em estado de bem-aventurada esperança, encarnar o modo de viver de Cristo. Isso faz com que o cristão reproduza a vida de Cristo em tal extensão, que o sofrimento torna-se inevitável. O que foi feito com Cristo será feito com o cristão. Cristo sofreu; o cristão sofrerá. O sofrimento é da natureza do sofrimento vivido por Cristo: *e me tornar como ele na sua morte.* É morte que comunica vida aos que são objeto do amor do cristão pela verdade, pelos seres humanos e por Cristo. O cristão conta com esse poder da ressurreição para reproduzir a vida de Cristo. Ele quer ser para a humanidade o que Cristo foi para a humanidade. Morrer para que outros vivam.

> **3.11** *Para, de algum modo, alcançar a ressurreição dentre os mortos.*

Não podemos chegar a uma conclusão sobre a interpretação de um texto que nos remeta a contradições, declarando com base numa passagem o que é negado por outra. A Bíblia é a melhor intérprete de si mesma. Paulo não

---

[8] F. B. MEYER, *Ciudadanos del Cielo*, p. 160.

declara estar duvidoso da sua salvação final. Jamais o vemos tornando incerto o amor redentor de Deus.

Há duas possíveis interpretações para esse *de algum modo*. Ele pode estar falando sobre as mais diferentes espécies de lutas que os redimidos têm que enfrentar em vida antes da gloriosa experiência da ressurreição final. É também possível que estivesse falando sobre a forma como tomaria posse completa da vida eterna, que poderia ser por via da ressurreição ou da transformação. Morrer e ressuscitar ou ser subitamente transformado sem passar pela experiência da morte biológica.

Paulo jamais escreveria uma carta como essa, na qual tanto fala sobre os sofrimentos que os discípulos de Cristo têm de enfrentar no caminho da sua santificação e serviço ao reino de Deus, se não estivesse absolutamente certo da ressurreição dentre os mortos:

> Ora, se o que se prega é que Cristo ressuscitou dentre os mortos, como alguns de vocês afirmam que não há ressurreição de mortos? E, se não há ressurreição de mortos, então Cristo não ressuscitou. E, se Cristo não ressuscitou, é vã a nossa pregação, e é vã a fé que vocês têm. Além disso, somos tidos por falsas testemunhas de Deus, porque temos testemunhado contra Deus que ele ressuscitou a Cristo, ao qual ele não ressuscitou, se é certo que os mortos não ressuscitam. Porque, se os mortos não ressuscitam, também Cristo não ressuscitou. E, se Cristo não ressuscitou, é vã a fé que vocês têm, e vocês ainda permanecem nos seus pecados. E ainda mais: os que adormeceram em Cristo estão perdidos. Se a nossa esperança em Cristo se limita apenas a esta vida, somos as pessoas mais infelizes deste mundo.
> 1Coríntios 15.12-19

A ressurreição significa a preservação do corpo e do espírito daquele com quem Cristo tem uma história de amor. É impossível que essa relação — que foi decretada na eternidade, estabelecida no tempo e no espaço a partir da experiência de conversão, seguida por anos de amizade em amor profundo entre Cristo e os discípulos que o Pai lhe deu para salvar — se perca na eternidade. Deus não é Deus de mortos, mas de vivos.

A ressurreição é a herança dos santos, que hão de viver por toda a eternidade em estado de indescritível bem-aventurança, em corpos glorificados, livres dos condicionamentos do pecado, na presença da alegria de sua vida, que os recompensará até mesmo pelo copo d'água oferecido em amor.

Os cristãos obtiveram vitória, portanto, sobre o maior inimigo da humanidade, que a todos esbofeteia ao lembrar-lhes que todas as suas realizações, memórias, aquisições, estão reservadas para o túmulo. Os discípulos foram ensinados por Cristo que o amor eterno associado à onipotência não permitirão que gente tão amada por Deus seja privada de vida consciente no reino vindouro. Por isso, a gloriosa declaração: "Portanto, meus amados irmãos, sejam firmes, inabaláveis e sempre abundantes na obra do Senhor, sabendo que, no Senhor, o trabalho de vocês não é vão" (1Co 15.58). Cristo não pede o impossível dos cristãos: ter alegria para servir em amor sacrificial num universo em que a morte tem a palavra final. Os cristãos não esperam perpetuarem-se nas suas obras. A ideia se lhes afigura como absurda. Qual o sentido de as obras falarem sobre quem não existe mais? Cristo os fez sonhar o sonho da ressurreição.

> **3.12** *Não que eu já tenha recebido isso ou já tenha obtido a perfeição, mas prossigo para conquistar aquilo para o que também fui conquistado por Cristo Jesus.*

Nada deveria demover da vida dos cristãos a insatisfação, a ambição, a expectativa pela chegada do novo. É da natureza da felicidade cristã a busca que não cessa. Esse anelo atravessará a eternidade.

A conversão sempre significará a completa reorientação da vida. Ela faz surgir um novo apetite. A fome e sede de justiça. O desejo veemente de participar do belo. O renascido pela graça divina olha para Cristo e vê beleza, justiça, sabedoria, amor. O que o leva a prestar culto a Cristo o conduz também a aspirar ser como Cristo.

Deus decretou que nesta vida não alcançaríamos a perfeição. O discípulo de Cristo tem diariamente despertada pelo Espírito Santo uma santa cobiça que não encontrará jamais satisfação nesta vida. A beleza de Cristo associada à percepção do seu pecado o perturba; a graça, porém, o consola, levando-o a não desistir de buscar. Esse incômodo e essa profunda consolação são partes integrantes da verdadeira espiritualidade. Os que choram serão sempre consolados.

A luz projetada pelo Espírito de Cristo, que os convence da distância existente entre o que somos e o que devemos e podemos ser pela graça, não os paralisa. Paulo olhava para a vida de Cristo (jamais esqueçamos que ele está pensando no Cristo de Filipenses 2.5-11) e percebia um amor pelo Pai que não estava plenamente presente no seu coração. O que lhe vinha à mente não era uma difusa tristeza, mas a lembrança de pecados factuais, que o humilhavam. O mesmo amor, entretanto, que o movia a divisar suas imperfeições, também o levava a ver o quanto já havia avançado, o que o aguardava, incitando-o assim a perseguir obstinadamente a semelhança a Cristo. Convicção de pecado que imobiliza é e sempre será obra do diabo. A graça que nos leva ao choro do arrependimento é a mesma que revela um amor inesgotável que nos chama a participar da formosura de Cristo.

A incapacidade total de os seres humanos se voltarem para Deus e viverem em amor é fato amplamente estabelecido pelas Escrituras. Como explicar a existência de seres que fazem suas as palavras do grande apóstolo nesse verso 12? Paulo afirma que, a partir de um ponto da história da nossa vida, Deus passa a lidar conosco, despertando em nós novas paixões, que exercem seu poder expulsivo sobre as demais paixões, levando-nos a ampliar as nossas ambições, numa tal extensão, que passamos a desejar a comunhão com a beleza e a participação na beleza, ou seja, amar a Cristo, conhecer a Cristo, servir a Cristo, morrer por Cristo.

Todas as nossas demais ambições dependem de fatores externos à nossa vontade. O amor da nossa vida pode nos abandonar, o processo de envelhecimento é inexorável, a saúde se esvai, a formosura física murcha com a passagem do tempo, uma crise econômica pode nos levar à perda completa dos nossos bens. A busca pela semelhança a Cristo, por ter como fiador o próprio Deus, jamais nos frustrará. Estamos perante uma aspiração exequível e que satisfaz a alma regenerada, tornada pela graça incapaz de se satisfazer com qualquer espécie de meta nesta vida e na vindoura que esteja dissociada da pessoa de Cristo.

> **3.13** *Irmãos, quanto a mim, não julgo havê-lo alcançado, mas uma coisa faço: esquecendo-me das coisas que ficam para trás e avançando para as que estão diante de mim.*

Há verdades que só devem ser ditas para os cristãos. Paulo se dirige à igreja porque esperava ser compreendido por ela. Eles viam a totalidade da vida sob a mesma perspectiva. Ao dizer *quanto a mim*, Paulo fala sobre a decisão que havia tomado com base no que havia descoberto sobre a vida. Cristo se revelara a ele. Tudo se lhe afigurava tão excelso, santo e acima do que o mundo pode oferecer, que ele fora levado a tomar uma decisão radical, que levaria até o fim dos seus dias, ainda que o restante da humanidade a ignorasse.

Todo o processo de santificação depende de dizermos: *quanto a mim*. É como se dissesse: "Não sei para onde a cultura está caminhando, ignoro a próxima onda filosófica, escapa à minha visão sobre o futuro da igreja se poucos ou muitos se afastarão da verdade revelada por Cristo; tudo o que sei é que um homem que viu o que eu vi e sentiu o que senti não tem alternativa na vida senão viver em função de Cristo, relacionar todas as esferas da vida a Cristo e fazer da comunhão diária com ele o prazer da vida".

A nota de insatisfação não neurótica era uma das marcas da sua vida. Sabemos de artistas, amantes, ideólogos, atletas que experimentam algo análogo em seus campos de atividade. Paulo a sentia em relação a Cristo. Havia algo que ele não tinha alcançado. Ele sabia que podia amar mais, reproduzir de modo mais simétrico e abrangente a vida de Jesus e conhecer mais nitidamente a beleza de Cristo. A natureza do crente foi tornada diferente da natureza do restante da humanidade. Ele sentiu um aroma, provou de um vinho, ouviu uma canção que o levaram a convergir todos os seus interesses para a direção do que mais lhe traz felicidade. Por isso, essa declaração: *uma coisa faço*. Tratava-se de fé experimental que movia a vontade, incitando-a à ação. Ao que ele se dedicava prioritária e decididamente?

Paulo deixava o passado passar. Havia todo um histórico de lutas, decepções, fraquezas e vitórias extraordinárias. Ele tinha de lidar com motivos de abatimento e orgulho. O Espírito Santo, contudo, usou uma imagem para ajudá-lo a ver tudo sob uma importante perspectiva. As provas de atletismo são excelente analogia da vida cristã autêntica. A jornada é extenuante, requer perseverança, deve se sujeitar às regras, manter o foco na linha de chegada e mobilizar todo o ser em razão da glória que está reservada aos vitoriosos. Mas, não apenas isso: da mesma forma que numa corrida o competidor que está à frente dos demais corredores pode ser ultrapassado ou tropeçar se olhar para trás, na busca pela semelhança a Cristo e obtenção da redenção final não se pode tirar os olhos do que vem pela frente a fim de fixá-los no que passou, pois isso representará derrota certa.

Não há espaço no cristianismo para saudosismo, autocongratulação ou fixação neurótica em erros do passado. O que Paulo está simplesmente dizendo é que Deus é esse treinador que durante todo o percurso da prova pede que não olhemos para trás, clamando para que mobilizemos toda nossa força a fim de cruzarmos a linha de chegada. O próprio Deus diz: "Não olhe para trás, novas oportunidades estão surgindo, o que tenho reservado para você excede em muito a tudo o que você já experimentou". Como tudo isso é pungente!

Há algo diante de nós! A graça é como as ondas do mar. Incansável nas oportunidades que cria a fim de que conheçamos mais a Jesus, tenhamos novas experiências pentecostais e descubramos maneiras diferentes de tornar o nome de Cristo conhecido.

Este é um dos segredos da vida cristã: neste exato momento da nossa vida, não fixarmos a visão no desgosto, nas conquistas espirituais, nos fracassos e nas oportunidades perdidas a fim de avançarmos na direção da vida que jamais vivemos. Lembre-se: não falta na sua e na minha vida quem peça para olharmos para trás. Desconsidere o que essa gente fala. Não ouça nem as vaias, nem os aplausos. Mantenha os olhos em Cristo, os ouvidos abertos apenas à voz de Deus e as pernas, os braços, as mãos, a cabeça, em empenho tenaz, visando cruzar a linha de chegada.

Como alguém já disse: separe tempo para ser santo. Não há santificação sem esforço. Paulo está longe de apresentar um modelo de espiritualidade que faz o crente crer numa experiência mística que resolve tudo e torna fácil o cristianismo. Essa metáfora do atleta que não olha para trás, mas foca obstinadamente na linha de chegada, desromantiza a vida cristã.

3.14 *Prossigo para o alvo, para o prêmio da soberana vocação de Deus em Cristo Jesus.*

Seja qual for o alvo que os seres humanos têm em vida, seu final será a morte. É como um caminhante em busca de um lugar que lhe ofereça descanso, refrigério e prazer, mas que subitamente se depara com uma instransponível muralha de aço. Dali ele não passará. Essa é a condição humana. Naquele dia, não haverá como progredir. A estrada tomada levou o viajante ao que ele não queria encontrar. Não sei como pensadores ousam falar sobre felicidade num mundo que não oferece esperança.

Se existe uma felicidade a ser encontrada, ela tem de nos fazer olhar para algo desejável além da morte. Nós cristãos aspiramos à eternidade. Mais do que isso, anelamos por uma eternidade bem-aventurada. Queremos viver eternamente, mas não neste mundo. Há nele o que nos faz ansiar transcendê-lo. O evangelho fala sobre eternidade e bem-aventurança. Há um alvo, e é a isso que o apóstolo Paulo se refere nessa passagem. Ele declara que toda a sua vida era orientada por essa meta, a única que satisfaz as ambições mais profundas do nosso verdadeiro ego. Ele orava, meditava, adorava, servia, amava, combatia, pregava, dormia, acordava, comia, bebia, sempre pensando nesse alvo. Todas as suas demais metas da vida mantinham relação de subserviência a esse escopo (*skopos*).

A meta maior da vida cristã consiste no recebimento de um prêmio extraordinário. Algo nos será acrescentado à vida. A partir de um ponto da nossa existência, entraremos numa outra esfera, carregando no nosso ser a glória desse prêmio. O final, portanto, não é a morte. Não se trata de retornarmos ao pó a fim de tão somente nos perpetuarmos nas nossas obras. O prêmio não consistirá numa estátua que será erigida em nossa memória em razão dos feitos de quem não existe mais. Os redimidos tomarão conhecimento do fato de que algo lhes foi acrescentado à existência, e que os acompanhará para sempre. É mais do que vida eterna, é vida eterna desejável, gloriosa, bendita.

Qual a gênese dessa ambição? Paulo declara que esse é o sonho que Deus fez os cristãos sonharem. É um chamado que vem do alto: a *soberana vocação*. Num ponto de sua vida, os que hoje prosseguem para o alvo tiveram a atenção despertada para outra espécie de existência, ambição e esperança. Deus os chamou para anelarem por uma felicidade transfinita, transtemporal, transcendente. O Criador da Via Láctea falou-lhes pessoalmente. Apresentou-lhes Cristo, que é o fundamento, o conteúdo e o alvo da vocação. Deus não chama ninguém para a glória do seu reino exceto por meio de Cristo, em Cristo, para a glória de Cristo. O céu dos cristãos é Cristo. Haverá natureza exuberante, que em tudo revelará a beleza de Deus. Este planeta será o mundo da santidade, da justiça e da paz. Entretanto, a maravilha das maravilhas será contemplar a beleza do Leão-Cordeiro, do Rei-Servo, do Deus-Irmão e ouvir sua voz, que desvendará por toda a eternidade os mistérios de Deus e a glória do universo que ele criou.

Por isso, os cristãos debocham da velha promessa, que a tantos enganou: "tudo isso lhe darei se, prostrado, você me adorar" (Mt 4.9). O cristão responde: "Já estou curvando diante de quem não pode mentir, e que promete no evangelho do seu Filho aquilo que carne, mundo e diabo não são capazes de oferecer".

> **3.15** *Todos, pois, que somos maduros, tenhamos este modo de pensar; e, se em alguma coisa vocês pensam de modo diferente, também isto Deus revelará para vocês.*

O que caracteriza a maturidade espiritual? Tudo o que foi declarado e ensinado nos versos que antecederam a esse. Assumir as próprias imperfeições, perseguir obstinadamente a semelhança a Cristo, anelar pelo céu e saber aplicar à vida esses grandes princípios do cristianismo.

Não há maturidade sem doutrina. Há uma forma de pensar que conduz ao comportamento maduro. A igreja jamais passa do nível de entendimento da verdade alcançado pelos seus membros. Pode haver igrejas com a cabeça melhor do que o coração. Nem sempre o acesso ao melhor da produção teológica da igreja garante a vida em amor ao próximo, a sabedoria na aplicação da doutrina e as afeições santas em relação a Deus. Entretanto, o conhecimento da verdade amplia o campo de conhecimento a ser iluminado pelo Espírito Santo, que estabelece assim a possibilidade de cristãos provarem da realidade sobre a qual a verdade revelada fala. Paulo chama a igreja para a coesão doutrinária.

Os cristãos nem sempre estão de acordo quanto ao modo de aplicar a doutrina. Paulo pensa nessa possibilidade. Pessoas que amam a Cristo com sinceridade podem não alcançar aquele nível de entendimento espiritual que é possível ser alcançado nesta vida, e que já foi alcançado por muitos, seja no passado, seja no presente da história da igreja.

Paulo não desestabiliza a igreja em razão dessas diferenças de opinião quanto ao modo de lidar na prática com as grandes e centrais verdades do evangelho. Não mata mosquito com tiro de canhão. Ele sabia e ensinava sobre a diferença entre o essencial e o secundário. Ele deixa a igreja respirar. Conta com a providência divina, o zelo que Deus tem pela edificação do povo que elegeu para o seu louvor.

Ele estava certo de que em Filipos havia uma verdadeira igreja, que usufruia alto nível de saúde espiritual. Em razão dessa graça presente na vida dos seus membros, Paulo acreditava que, nessa dinâmica de relação real entre a criatura e o Criador, passo a passo, o próprio Deus *revelará* (*apokalupto*, em grego, de onde vem a palavra "apocalipse") a sua vontade aos seus filhos e filhas. O que cabia à igreja fazer diante das dificuldades doutrinárias, espirituais e éticas que enfrentava? Martyn Lloyd-Jones oferece uma ótima resposta:

> Este é certamente um princípio muito saudável. O modo do apóstolo de lidar com aquelas dificuldades e com algumas perplexidades intelectuais era este: pratique! Coloque em operação aquelas coisas centrais sobre as quais você está certo, e se você fizer isso, Deus revelará a você a verdade concernente àquelas outras coisas. Não gaste o resto da sua vida discutindo sobre aquelas coisas que não estão claras para você. Há certas questões em conexão à fé cristã sobre as quais os cristãos não têm sido unânimes.[9]

Paulo acreditava num processo ininterrupto de iluminação do Espírito Santo com base no que o Espírito havia revelado por meio dos apóstolos. Vale ressaltar um fato. Nesses mais de dois mil anos de história do desenvolvimento do pensamento cristão, muitas questões que causaram dificuldades sérias a uma geração de crentes foram resolvidas pelas gerações subsequentes. Cabe a você e a mim ter acesso a esse legado, que nos possibilita ver como Deus orientou a igreja na aplicação da verdade inerrante às questões da vida,

---

[9] Martyn LLOYD-JONES, *The Life of Joy and Peace: An Exposition of Phillipians*, p. 341.

que não cessam de aparecer. A igreja foi e sempre será dependente dessa obra de iluminação do Espírito Santo, que projeta luz sobre a verdade revelada a fim de que seus membros ajustem sua forma de viver à Palavra de Deus. Provisão foi feita no passado. Temos de saber o que aproveitar dela. Há promessa de provisão para o presente. A teologia pode avançar na nossa geração.

Existem, portanto, três obras centrais levadas a cabo pelo Espírito de Cristo: revelação (que consiste em apresentar aos profetas e apóstolos o conteúdo do que não seria conhecido exceto se Deus o revelasse), inspiração (que consiste em levar os redatores das Escrituras a fazerem o registro infalível da verdade revelada) e iluminação (que consiste naquela obra do Espírito Santo mediante a qual a verdade revelada e registrada de modo infalível é iluminada a fim de que a igreja entenda seu significado e a ame). Paulo está falando nesse versículo sobre iluminação. Chama a atenção o fato de Paulo se ver como autor do material revelado por Deus, mas também como aquele que assistiria ao modo maravilhoso de Deus conduzir a igreja à forma de viver a verdade. O Espírito Santo não cessa de atuar na igreja, fazendo com que cada geração de cristãos deixe um legado interpretativo e aplicativo para as gerações futuras. Devemos honrar o Espírito que atuou nos profetas, nos apóstolos, nos pais da igreja, nos reformadores e que hoje continua falando ao povo de Deus.

3.16 *Seja como for, andemos de acordo com o que já alcançamos.*

A igreja jamais terá vida intelectual perfeita e homogênea. Nem sempre os cristãos estão seguros sobre a melhor forma de utilização da doutrina. Muitas vezes o que parece evidente para alguns é objeto de indiferença ou dúvida para outros. Jamais a igreja terá paz enquanto não souber separar o essencial do periférico. Não poucos, movidos por estranha obsessão, se atormentam e criam divisão por força do que é secundário e está longe de ter o poder de descaracterizar a verdadeira experiência cristã. Há igrejas cuja vida gira em torno de insignificâncias, coando mosquito enquanto engole camelo.

Qual a melhor forma de lidar com as dificuldades teológicas, espirituais e morais? Paulo prescreve a adesão ao que é absolutamente certo. Ele chama os cristãos a andarem em linha, como o fazem soldados que estão em marcha, com base na clara diretriz da verdade revelada. Há aquilo que é certo: a justificação pela graça mediante a fé em conexão ao chamado para viver em santidade, mantendo sempre como referência a vida de Cristo. Portanto, escolher sempre o lado do que melhor se coaduna à graça, à santidade de vida e ao exemplo de Jesus.

Há uma esperança implícita na recomendação do apóstolo Paulo. Se a igreja caminhasse na luz, não se deixando perturbar por aquilo que ainda não se tornara evidente, mas honrando a Deus na sujeição ao que era certo, o próprio Deus a socorreria, projetando luz sobre o seu entendimento e aplicação da doutrina. Que conselho sábio! A igreja era chamada para considerar as conquistas que obtivera. A extraordinária manifestação do conhecimento de Cristo levada a cabo pelo Espírito Santo. Havia algo que tinha sido alcançado. Aos filipenses cabia tratar com zelo a revelação e não se deixar paralisar pela falta de entendimento quanto ao que demandava mais sabedoria por parte de todos.

Gosto da interpretação e aplicação dessa passagem feita por D. A. Carson:

> Os cristãos nunca deveriam estar satisfeitos com a graça de ontem. É horrível para os cristãos terem de admitir que eles têm crescido pouco no seu conhecimento de Cristo [...]. Obviamente essas coisas aplicam-se com especial urgência para pregadores e professores do evangelho. Se você continua no mesmo nível de conhecimento (doutrina) e experiência (vida) dos últimos vinte anos, há alguma coisa terrivelmente errada. Nós não temos de deixar antigas verdades e passos anteriores na santificação atrás de nós, mas quando novas verdades e aplicação das antigas verdades abrem os nossos olhos, elas deveriam formatar nosso conhecimento e nosso modo de viver tão poderosamente a ponto de outros verem o nosso aperfeiçoamento.[10]

3.17 *Irmãos, sejam meus imitadores e observem os que vivem segundo o exemplo que temos dado a vocês.*

Vale sempre ser lembrado por todos nós que havia ideais de vida que Paulo apresentava apenas aos irmãos. Para os de fora ele anunciava o evangelho, evangelizando em vez de ensinar moralidade. Ele não esperava que não cristãos se comportassem como cristãos. Por crer na regeneração, o belo, santo e justo padrão de vida cristão era apresentado à igreja. Havia uma mistura de otimismo e dever. Ele acreditava que os cristãos eram capazes de viver o cristianismo e insistia no fato de que a salvação dos perdidos dependia de uma igreja que pregasse a partir da manifestação da singularidade do caráter dos seus membros.

Ele já havia falado sobre doutrina e prática. A igreja recebera segura orientação quanto ao caminho para viver e agradar a Deus. Paulo acreditava no efeito transformador da pregação, mas não apenas isso, também estava certo do poder transformador da doutrina ensinada pelo exemplo.

---

[10] D. A. CARSON, *Basics for Believers: An Exposition of Phillipians*, p. 90.

Por isso, ele estimula os cristãos de Filipos a não apenas se concentrarem em teologia, mas imitarem aqueles em cuja vida o poder da verdade se manifestou plenamente. Ao mesmo tempo em que o apóstolo Paulo não buscava ocupar o lugar de Cristo, uma vez que o vemos falando das suas imperfeições e humanidade, ele chama a igreja de Filipos a olhar para o seu exemplo de vida. Todo aquele que, em nome de uma espécie de humildade que somente serve para justificar o comportamento infantil e pecaminoso, é incapaz de dizer *sejam meus imitadores* não deveria assumir função de liderança na igreja.

Observemos que ele divide essa atenção com muitos outros. Ele jamais se apresenta como único exemplo de manifestação da graça santificadora. Paulo declara haver outros por meio de quem Cristo manifestava o seu caráter. Embora a doutrina esteja envolvida nesse exemplo de vida a ser imitado, Paulo enfatiza a prática do cristianismo como o elemento mais proeminente da vida desses santos de Deus, que deveriam servir de inspiração para a igreja. Nesse sentido, vale destacar o quanto Deus tem usado a biografia de discípulos de Cristo que, de uma forma especial, nas mais diferentes épocas da história da igreja, alcançaram em grande parte o ideal cristão. Sou eternamente grato a Deus pela leitura das biografias de Agostinho, Lutero, Calvino, Jonathan Edwards, David Brainerd, Martyn Lloyd-Jones, Martin Luther King.

O cristianismo é plausível e aplicável. Isso é demonstrado por esse verso, que revela a quantidade de gente que, no primeiro século, imitava Cristo. O cristianismo não teria chegado até os nossos dias sem essa pura e ampla expressão dos seus efeitos transformadores. Mais do que isso, havia naqueles dias pregadores que exemplificavam com sua vida a verdade que proclamavam. Paulo podia dizer: "Olhem para esses homens e mulheres. Observem a beleza do seu caráter, a utilidade da vida deles, a alegria presente em seu coração. Tenham esses verdadeiros irmãos como exemplo a ser seguido". A fé cristã é exequível.

> **3.18** *Pois muitos andam entre nós, dos quais repetidas vezes eu lhes dizia e agora digo, até chorando, que são inimigos da cruz de Cristo.*

A exortação do verso anterior se fazia absolutamente necessária em razão do teor da denúncia feita pelo apóstolo Paulo neste verso. À igreja cabia a seleção criteriosa dos seus melhores exemplos, uma vez que, já no início da era cristã, havia nas igrejas homens que negavam o evangelho, tanto pelo que pregavam quanto pela forma como viviam.

Sempre que for identificada na vida de um pregador assimetria de caráter (observância de determinadas normas éticas em detrimento de importantes valores do cristianismo), ausência de resultados práticos no ministério (carência do testemunho de vidas transformadas por meio da pregação) e vida cômoda (nenhum desgaste pessoal por força de um real compromisso com o evangelho), a igreja pode estar certa de que encontra-se perante um falso profeta.

Eles *andam entre nós* porque são incapazes de plantar igrejas. Falta-lhes unção e graça. Essa gente precisa de um organismo vivo para sobreviver. Por isso, é vista perambulando, visitando igrejas, imiscuindo-se no trabalho alheio a fim de fazer da religião fonte de lucro.

Paulo não os poupava. Ele declara ter feito reiterados avisos à igreja de Filipos sobre a presença deletéria desses homens. Com heresia e comportamento carnal não se brinca. Não é amor aquele que poupa de críticas esses homens enquanto os mesmos trazem ruína para a vida da igreja. Sua presença descaracteriza por completo o testemunho da igreja, tornando-a indistinguível do restante da sociedade. Paulo encontrava-se numa luta pela preservação da identidade da igreja de Cristo. Se naqueles dias a batalha tivesse sido perdida, não teríamos cristianismo.

De dentro da prisão, Paulo retoma o ponto sobre o qual já havia falado, agindo como pastor responsável, que não se silencia diante da chegada dos lobos. Contudo, havia nota de profundo amor na sua luta pela preservação da saúde intelectual e moral da igreja. Ele não era movido por inveja, rancor e vingança. Ele fala das lágrimas que vertia por conta do estrago que aqueles falsos mestres causavam na vida da igreja e na própria vida. Ele sabia que esses homens seriam julgados por Deus. Divisar a chegada daquele juízo certamente lhe causava tristeza. Ele se comovia apenas por pensar nas ameaças à saúde espiritual de irmãos amados e no dano que tudo aquilo seria capaz de fazer ao trabalho missionário.

Quem são esses homens? Paulo os chama de *inimigos da cruz de Cristo*. Pelo contexto subsequente dessa passagem, ele fala sobre homens que, embora não fossem inimigos declarados de importantes verdades doutrinárias, tinham chegado à conclusão de que não havia preço moral a ser pago pelos cristãos. Tratava-se de gente que fugia da renúncia, do sofrimento e do preço a ser pago por quem tenciona viver a fé cristã no mundo que matou Cristo. Eles proclamavam o exato oposto do que Paulo ensina na Carta aos Filipenses. Enquanto os membros da igreja eram chamados a tomar sua cruz e ir após Cristo, esses pregadores ensinavam seus ouvintes a serem maus — porque Deus é bom — e carnais — porque a salvação é gratuita. Em teologia, essa heresia é chamada de antinomismo, que consiste na proclamação de um Cristo que salva os seres humanos da condenação do pecado mas não do pecado.

O jugo é suave e o fardo é leve para que a vida seja bonita.

> **3.19** *O destino deles é a perdição, o deus deles é o ventre, e a glória deles está naquilo de que deviam se envergonhar, visto que só pensam nas coisas terrenas.*

Paulo destaca as principais marcas da vida desses inimigos da cruz de Cristo. A atenção da igreja é chamada para o que aguarda esses maus obreiros. Todos caminham para o mesmo destino. Tomaram uma estrada que os levará inevitavelmente para um lugar que lhes é próprio. Eles colherão o que semearam. A destruição é inerente ao tipo de vida que vivem. Eles perderão o ser. Deus os julgará de modo a vindicar sua santidade e a todos deixar claro que aqueles homens levaram as pessoas a conceber um deus inexistente. Que alerta solene aos que tratam com leviandade o ministério de ensino, que se associam a quem promove o erro e que não admoestam quem se desvia do caminho. Ninguém prega o evangelho e lida com a igreja impunemente. Que todos saibam que o ministério de pregação se trata de algo análogo à relação de Israel com a arca da aliança. Estamos falando de algo que é muito caro para Deus: sua verdade e seu povo.

Onde esses homens erraram? Qual a raiz dos seus problemas comportamentais e teológicos? Por que são vistos causando tamanho mal à igreja? Porque eles estabeleceram um objeto de culto. O lugar que o Criador deveria ocupar em sua vida é ocupado pelos prazeres do corpo. Eles servem ao seu estômago. Eles estão dedicados à tarefa de obter a mais ampla satisfação possível para os seus instintos.

Não há incompatibilidade entre cristianismo e prazer. O *ventre* foi criado por Deus. O problema é quando os interesses do ventre fazem oposição aos interesses do amor. Quem escreveu esse versículo não estaria atrás das grades se o seu Deus fosse o próprio ventre.

Estamos perante algo recorrente na história do cristianismo. O desvio doutrinário que leva ao comportamento pecaminoso e o comportamento pecaminoso que leva ao desvio doutrinário. A teologia não pode ser condicionada pelo prazer. A teologia não pode levar ao hedonismo. Vivemos num mundo no qual pessoas precisarão da radical renúncia da igreja aos legítimos confortos da vida a fim de que sejam salvas. Quando o ventre determina a teologia e o comportamento, passamos a ter uma igreja que se confunde com o mundo, cristãos que se afastam do amor sacrificial de Cristo e uma forma de relacionamento com o próximo que não considera a santidade da vida humana. Sabemos que esse discurso tem o seu extremo oposto, que consiste no legalismo que promove ambientes psicopatológicos, nos quais sobrecarrega-se o ego. Mas dessa tensão a igreja não pode fugir. Sob a luz do evangelho, ela sempre terá de discernir a diferença entre celebrar os prazeres legítimos da vida e crucificar a carne com suas paixões e desejos egoístas.

Sempre haverá na igreja quem se vangloria de uma pretensa maturidade espiritual que tem como característica legitimar o pecado em nome da liberdade em Cristo. Aqueles falsos mestres se gloriavam daquilo que deveriam se envergonhar. É vergonha fugir do exemplo de Cristo, ser carnal porque Deus é gracioso, usar pessoas em vez de servi-las, tornar a religião fonte de lucro, não imitar aqueles por cujo sangue a igreja foi edificada, buscar no ventre o que só pode ser encontrado na presença de Deus, ter comportamento que nem mesmo entre pagãos pode ser observado, prescrever para a igreja o que Cristo abomina.

A conclusão a que chega o apóstolo Paulo é que esses obreiros não tiveram sua atividade ministerial pautada pelo céu, mas sim pela terra. Sua mensagem é condicionada por aquilo que seu ventre extrai de mais conveniente da cultura. Esses homens perderam de vista a sua finitude, o caráter fugaz da sua existência e o que aguarda este mundo. Vivem como se tivessem sido criados para a presente vida. Em suma, nada sabem sobre "o prêmio da soberana vocação de Deus em Cristo Jesus" (Fp 3.14). Pecam na luz.

> **3.20** *Pois a nossa pátria está nos céus, de onde também aguardamos o Salvador, o Senhor Jesus Cristo.*

O contraste entre os verdadeiros cristãos e os maus obreiros não poderia ser traçado de forma mais radical. O que Paulo tem a dizer é que a grande diferença entre a verdadeira igreja e a falsa igreja consiste na posse de diferentes cidadanias. Há aqueles cujo ventre os levou a fazer deste mundo a sua pátria. Todos os interesses e valores que os governam relacionam-se exclusivamente a este planeta. Eles regulam a totalidade da sua existência por aquilo que este mundo tem como importante. Eles olham para as doenças terminais, as guerras, as injustiças e mesmo assim são capazes de fixar seus afetos justamente nessa espécie de vida que causa náusea aos regenerados.

A declaração inicial desse verso projeta muita luz sobre a doutrina da santificação, que jamais deve ser confundida com moralidade. No processo de santificação há inteligência, sentido, razão de ser, convencimento intelectual. O cristão não é chamado para evitar o pecado tão somente em razão dos seus efeitos deletérios. O cristão não pensa em termos de divórcio, vergonha, prisão, morte. Ele não é alguém que praticaria a iniquidade se isso não lhe fosse danoso. O cristão vê tudo à luz dos grandes princípios e verdades que governam sua vida.

Em primeiro lugar, ele considera a sua pátria. Seus afetos estão nela. Sabe que a igreja é uma colônia do céu neste mundo caído. Por isso, ele se preocupa com a glória do reino a que pertence. Ele é um representante do país de Cristo na cidade onde mora. Vive sob outra constituição. Serve a outro rei. Não há nada que mais anele do que voltar para seu lar celestial. Julga a vida neste mundo sob o ponto de vista do que a sua pátria que está no céu valoriza acima de todas as coisas. Ele é pautado pela cultura do céu. O que lhe importa é ser famoso lá em cima, cumprindo a missão que Cristo lhe deu aqui embaixo. Sua pátria, por ser celestial, é eterna, santa, justa. Ao contrastar a estabilidade da sua pátria com a transitoriedade dos reinos desse mundo, o verdadeiro discípulo de Cristo não consegue ser tão patriota na terra quanto o é em relação ao céu. Seus compatriotas, portanto, são homens e mulheres de todas as línguas, tribos e nações que obtiveram seu direito à cidadania no reino de Cristo.

Cristo é o rei desse bem-aventurado país, que será habitado por quem já está lá e para lá caminha. Entre os que para sempre viverão nesse reino, há muitos que ainda estão neste mundo. Por isso, ele voltará a fim de resgatar todos e dar um fim ao exílio da sua igreja, que será arrebatada definitivamente deste mundo tenebroso a fim de viver na cidade santa.

A igreja é descrita por Paulo como a comunidade dos que mantém seus olhos fixos no céu, pois aguarda a vinda do seu Salvador, que a todos propiciará perfeita, segura e eterna redenção por ser o "Senhor", o "Jesus" e o "Cristo". Ele governa o universo (Senhor soberano), pelo seu sangue lavou os pecados do seu povo (Jesus, "Javé é salvação") e como Messias (Cristo, o rei que foi ungido pelo Espírito Santo para libertar a igreja do seu cativeiro) e virá para cumprir cabalmente as santas promessas feitas a Davi.

Por que Paulo é encontrado chorando no verso anterior? Por que o falso cristianismo priva seus arautos e seus seguidores de bênçãos tão extraordinárias, que de tão gloriosas que são levam muitos a dizer: "Isso é muito bom para ser verdade". Mas é verdade! Quem fez a promessa é fiel.

3.21 *O qual transformará o nosso corpo de humilhação, para ser igual ao corpo da sua glória, segundo a eficácia do poder que ele tem de até subordinar a si todas as coisas.*

Essa passagem se constitui num chamado à santificação e preservação da doutrina. Diante de tão gloriosas promessas, mais uma vez uma importante pergunta se impõe: como deveríamos viver? Não nos resta alternativa. A glória vindoura deveria motivar-nos a um modo glorioso de viver a nossa presente vida. Como crer nesse futuro sem passar por radicais transformações no presente?

No verso 19, Paulo fala sobre a espiritualidade do ventre. Por que ela não satisfaz? Porque para os regenerados os desejos do corpo caído não atendem às novas expectativas da sua nova natureza. O nosso corpo, criado por Deus, não cumpre mais a finalidade para a qual o seu Criador o designou quando foi formado.

Ele é hoje um *corpo de humilhação*. Corpo que exige satisfação imediata daquilo que o amor proíbe. Corpo que, para onde vai, arrasta consigo um número incontável de enfermidades. Corpo sujeito ao inexorável processo de envelhecimento e morte. O fato é que o nosso corpo oculta a glória da obra da graça regeneradora. Há uma completa incompatibilidade entre a beleza de Cristo — da qual os cristãos são parcialmente portadores — e o seu invólucro.

O amor de Jesus exige que nosso corpo passe por radical transformação. Ele precisa ser adaptado à vida no céu e tornado meio eficaz para a expressão de espíritos glorificados. A promessa é que a glória do nosso ser será refletida no nosso corpo. Ficaremos livres de algo tão humilhante. Essa humilhação inerente ao pecado não será mais necessária. Os redimidos glorificados não terão como característica de vida a vaidade, que torna o remédio da mortalidade necessário.

O corpo será também glorioso. Participará do esplendor do corpo de Cristo manifestado no monte da Transfiguração, na estrada de Damasco e na visão de Estêvão. Haverá brilho. Todos serão objeto de amor complacente. A humanidade redimida ficará para sempre livre dos problemas psicológicos relacionados a uma baixa autoestima. Todos serão amáveis. O corpo de cada um revelará a beleza do seu amor.

Como crer em algo tão acima de tudo o que ideologias políticas, ciência e utopias humanas foram capazes de prometer? Para eliminar toda dúvida, Paulo apela para o poder que é infinitamente maior do que o poder da natureza, da entropia, da morte. Na verdade, o poder que sustenta a natureza, que regula a entropia e usa a morte. O poder que fez com que houvesse uma natureza a ser governada por leis, matéria a involuir e corpo a ser morto. O que mata não existiria se não tivesse sido criado o que pode ser morto.

O apóstolo fala sobre a *eficácia do poder que ele tem de até subordinar a si todas as coisas*. É tudo de cortar a respiração. Que bela imagem do universo! O universo é regido por uma onipotência pessoal, que exerce controle soberano sobre o que criou. Todos os átomos dizem amém à sua vontade. Não há força que lhe seja rival. Nada ocorre à revelia do Rei santo, sábio e justo. Seu poder em ação faz com que tudo o que foi criado cumpra sua finalidade, estabelecida em amor e sabedoria. Ele subordinará a si o que usou temporariamente como instrumento da sua justiça, que causou sofrimento, destruição e morte, uma vez que é congenial a Deus a felicidade, a perenidade do bem e a preservação da vida.

Esse Deus e essa esperança deveriam levar-nos ao encanto, amor e adoração.

FILIPENSES 4

4.1 *Portanto, meus amados irmãos, de quem tenho muita saudade, vocês que são a minha alegria e coroa, sim, meus amados, permaneçam, deste modo, firmes no Senhor.*

Observa-se novamente o método da santificação na teologia do apóstolo Paulo. A apresentação e a defesa da doutrina antecedem a tudo. Em seguida, como sempre, o *portanto*. Como se dissesse: "Levando em consideração tudo o que foi até aqui exposto, como devemos viver?". Não existe atalho na santificação. Jamais ela deve ser vista em termos de uma experiência que subitamente nos sobrevém e muda todo o curso da nossa história. Santificação é luta diária, que consiste na meditação sobre a glória da verdade seguida da sua aplicação.

Paulo se sente conectado a homens e mulheres que faziam parte de uma comunidade internacional, composta por gente fascinada por Cristo. Esses são os *meus amados irmãos*. O que pode parecer piegas para alguns, constitui-se no modo cristão de sentir e expressar o sentimento. Àquela gente pertenciam as impressionantes promessas dos versos anteriores. Paulo se sentia mais ligado aos pagãos convertidos à fé cristã do que ao seu próprio povo. Vê-los amando Cristo o enternecia. O verdadeiro crente sente amor complacente pelos seus irmãos na fé.

Como a igreja ocupava lugar central na vida do apóstolo! Ele ansiava pela companhia dos irmãos. Não poderia ser diferente. Nós cristãos somos minoria neste mundo. Tudo busca negar nossa fé. Olhamos milhões vivendo como loucos, alheios a tudo o que amamos e que comunica sentido à nossa existência. Comove encontrar alguém que ama o que amamos, acredita no que acreditamos e vive como vivemos. Sabemos quem são: amados do Deus a quem amamos.

Paulo sentia algo especial pela igreja de Filipos. Ela havia sido formada por meio do seu trabalho. Olhar para a igreja o enchia de alegria. Aqueles pagãos haviam sido levados a crer num carpinteiro judeu. Movidos por essa fé, eram encontrados amando uns aos outros, proclamando a verdade, cultuando ao Deus verdadeiro e sofrendo pelo evangelho. Paulo se alegrava com a manifestação da graça divina na vida da igreja de Filipos. Os cristãos se alegram com a prosperidade da igreja. Um dos sinais mais evidentes de novo nascimento é o amor pelos discípulos de Cristo.

Quem serve à igreja é galardoado por Deus. Paulo sabia que receberia a coroa da vitória por ter se dedicado ao que Deus tanto ama: a formação do corpo de Cristo. Ele havia pregado a palavra com lágrimas, não enriqueceu às custas da fé alheia, não negociou a verdade, sofreu terrivelmente por amor aos eleitos e seu trabalho não foi em vão. Como resultado da ação do Espírito Santo por meio da sua vida surgiu uma igreja no seio de uma sociedade pagã. Os contornos do mundo ocidental começavam a ser definidos e o caminho era aberto em solo europeu para que a fé se espalhasse pelo mundo, levando esperança para milhões. A maior alegria do discípulo de Cristo é sentir-se usado por Deus na vida dos seus irmãos.

Paulo insiste na expressão verbal do amor: *meus amados*. Como tudo isso falava sobre ele! Era o que sentia e o movia a levar a verdade à mente da igreja pela via do coração. A igreja tende a ouvir quem prega com amor.

Após estabelecer a verdade e reafirmar seu amor, Paulo faz a aplicação prática: *permaneçam, deste modo, firmes no Senhor*. Que nada os demova de imitar a Cristo, servir a Cristo, proclamar a Cristo, amar a igreja de Cristo, honrar os ministros de Cristo, manter a esperança em Cristo, defender a verdade de Cristo, sofrer por Cristo.

> **4.2** *Peço a Evódia e peço a Síntique que, no Senhor, tenham o mesmo modo de pensar.*

Estamos diante de um pequeno versículo cuja compreensão pode poupar a igreja de grandes problemas. Aqui nos deparamos com o modo cristão de resolver controvérsias, diferenças de opinião e divergências pessoais dentro da igreja. O que deveria chamar a nossa atenção nesse modo de lidar com a dificuldade de relacionamento entre duas importantes mulheres da igreja de Filipos? Vamos aos pontos: observa-se que Paulo é gentil no apelo que faz, não agravando o problema. Ele não as humilha publicamente. Pelo contrário, como veremos no verso seguinte, ele as honra. Sem a mínima dúvida, ele somente tratou de modo público da questão porque o que se passava era do conhecimento de todos. Paulo não toma partido. Dessa vez, não era necessário. Ele usa de isonomia, dirigindo-se do mesmo modo a ambas.

Ele as chama para buscarem a mesma mentalidade em Cristo. Calvino faz importante comentário sobre essa passagem: "É preciso que notemos bem que, sempre que fala de concordar, ele adiciona também o vínculo desse acordo — no Senhor. Pois toda combinação será inevitavelmente maldita, se for à parte do Senhor; e, em contrapartida, nada é tão desunido que não possa ser reconciliado em Cristo".[1]

Qual o significado de *tenham o mesmo modo de pensar* no Senhor? A base para a comunhão estava fundamentada em razões irrefutáveis. Ambas deveriam pensar no exemplo de Cristo, que ofereceu sua vida à igreja visando a sua salvação. A elas cabia abrir mão do que julgavam de direito a fim de preservar a unidade do corpo de Cristo. Não estava em jogo o conteúdo do evangelho. O fato de o apóstolo Paulo se manter em silêncio sobre a causa da divergência é a prova de que se tratava de alguma diferença de opinião que não violava princípios, doutrinas e valores inegociáveis do cristianismo. O erro consistia em administrarem o problema de modo a criar dificuldade na relação e torná-lo público, ameaçando assim a unidade da igreja e, consequentemente, dando oportunidade para a ação das hostes do mal.

A exortação de Filipenses 2.3-4 deve ter calado de modo profundo no coração daquelas mulheres piedosas: "Não façam nada por interesse pessoal ou vaidade, mas por humildade, cada um considerando os outros superiores a si mesmo, não tendo em vista somente os seus próprios interesses, mas também os dos outros".

> **4.3** *E peço também a você, fiel companheiro de jugo, que auxilie essas mulheres, pois juntas se esforçaram comigo no evangelho, juntamente com Clemente e com os demais cooperadores meus, cujos nomes se encontram no Livro da Vida.*

Estamos perante uma aula de teologia pastoral. Aqui vemos o modo como a igreja deve ser regida pelos seus pastores. Princípios que devem ser considerados por todos os que amam a igreja de Cristo.

Paulo não é visto dando ordem. Ele solicita ajuda a um companheiro de ministério. Num país marcado por cultura coronelista, capaz de transformar pastor em coronel, esse modo de uma autoridade espiritual como o apóstolo Paulo se dirigir a uma pessoa deveria ser observado com atenção. Não deve haver espaço na igreja para a reprodução de comportamentos que são encontrados no mundo corporativo, nos quais muitas vezes impera a grosseria que adoece, divide e amargura.

Paulo pede ajuda a alguém que, pelo seu histórico de vida, inspirava-lhe confiança. Ele se dirige a um obreiro que com ele dividiu o fardo da atividade missionária em Filipos. Sem esses irmãos, que se colocam ao nosso

---

[1] João CALVINO, *Série Comentários Bíblicos: Gálatas, Efésios, Filipenses e Colossenses*, 479 (E-book Kindle).

lado a fim de nos ajudar a expandir o reino de Cristo, nada fazemos. O peso é insuportável. Esses amigos e cooperadores devem ser vistos como anjos enviados por Deus. Em tudo devem ser honrados, de modo que seu penoso trabalho seja reconhecido. Que obra da graça divina: nos chamar, nos levar a sonhar, nos conceder dons e mover corações a fim de que tenhamos a companhia de quem nos ajudará a fazer a obra que Cristo nos incumbiu de fazer.

Paulo está preocupado com o relacionamento de Evódia e Síntique. Elas eram irmãs em Cristo e membros que serviam ativamente à igreja de Filipos. No primeiro século, portanto, mulheres eram protagonistas da edificação da igreja. Naqueles dias, contudo, aquelas mulheres careciam de socorro. A natureza desse auxílio provavelmente relacionava-se à tentativa de harmonizar seus sentimentos e formas de lidar com os problemas da igreja. Esse *companheiro de jugo* deveria se aproximar a fim de fazer uma ponte entre elas, ajudando-as a continuar escrevendo sua bela história de serviço ao reino de Cristo. Assim os cristãos se comportam, fomentando com tato e amor a unidade entre os irmãos.

Evódia e Síntique tinham um histórico de serviço prestado à causa do evangelho. Que beleza de imagem, Deus extraindo de duas mulheres o que nelas havia de belo a fim de salvar vidas. Mais um ponto chama a atenção: o fato de homens e mulheres trabalharem juntos em amor e santidade. Um trabalho em equipe, formada pela graça de Deus, que uniu homens e mulheres a fim de tornar conhecido o nome do seu único Filho.

Não sabemos quem é Clemente. Não temos acesso também à identidade de todos os cooperadores do apóstolo Paulo que, naqueles dias, mudavam o destino da humanidade por meio da proclamação da mensagem de Cristo, plantação e fortalecimento de igrejas locais. Mas Deus os conhece. Seus nomes estão registrados no Livro da Vida. No original grego, "bíblia da vida" (*biblos zoe*). O Criador os ama e sorri para a vida deles.

Sua salvação é absolutamente certa, por isso não devem temer nem as perseguições nem o que os aguarda no futuro. Ninguém poderá arrebatá-los do coração de Deus. Nesse livro, ao lado dos seus nomes, consta o registro dos seus feitos. Um dia, ele será aberto a fim de que todas essas histórias sejam contadas. Haverá lágrimas de gratidão a Deus, pois todos perceberão a si mesmos como objeto de um amor que não apenas os redimiu dos seus pecados, mas também os moveu e propiciou condições para que escrevessem uma comovente história, repleta de feitos abençoadores.

4.4 *Alegrem-se sempre no Senhor; outra vez digo: alegrem-se!*

Blaise Pascal dizia que o problema do homem consiste em não conseguir ficar no seu quarto. A solidão o faz manter contato com sua alma, ouvir seus temores, tomar consciência das suas frustrações, pensar na transitoriedade de tudo o que o cerca. Incerteza ansiosa está presente na vida de todos os seres humanos. Quando chegamos à meia-idade, o cinismo torna-se a grande tentação da vida. Ficamos expostos a sempre sentir pena de quem aos nossos olhos ri por não saber que é infeliz.

O que é o cristianismo? É o que entra nesse quarto e desconstrói os argumentos do desespero. É Cristo perguntando: "por que você está chorando?" (Jo 20.13). Seu consolo não consiste em ensinar que é tolice lutar contra o destino. Não há nota de estoicismo no evangelho. Ninguém é chamado à resignação. O que a fé cristã tem a dizer ao que amaria sair do seu quarto a fim de, em algum lugar, manter-se entretido com o que o impede de ouvir a si mesmo é justamente o que o faz querer sair do seu quarto para anunciar a todos as razões da esperança. Mais do que isso, o evangelho também o faz ter prazer em ficar no seu quarto para momentos de solitude a fim de poder, livre das distrações do mundo, meditar sobre o que lhe comunica paz e leva essa mesma paz a se colocar de pé e dançar de alegria.

O chamado à alegria é incircunstancial porque Cristo livrou os seus discípulos da tirania das circunstâncias. *Alegrem-se sempre*. Qual a condição? Ela consiste em fazermos com o nosso espírito o que fazemos com o nosso corpo. Temos necessidades existenciais e necessidades biológicas. Vivemos sem a mínima esperança de manter vivo nosso corpo sem o pão que nos é oferecido pela natureza. Deveríamos também viver sem a mínima esperança de manter viva nossa alma sem o pão que nos é oferecido por Deus. Deus mantém nossa vida biológica por meio do pão literal. Deus mantém nossa vida espiritual por meio do pão que é Cristo. A alegria que Paulo propõe é a alegria *no Senhor*. Essa é a razão dessa independência e emancipação de alma. No Senhor sempre teremos motivos para nos alegrar. A tristeza constante é uma negação da fé.

Estamos no Senhor. Vivemos nele. Não decretaríamos para a nossa vida algo melhor do que ele decretou para nós, mesmo se tivéssemos o poder de fazê-lo. Temos uma aliança de amor com ele. Ele pregou para nós. Entrou naquele quarto e nos chamou para nos arrependermos e crermos. Disse que, se voltássemos para ele em arrependimento e fé, receberíamos o perdão de pecados e uma justiça positiva, que nos habilitaria a herdar tudo o que o evangelho promete aos justos. Tudo. Cabelos da cabeça contados e nomes escritos no Livro da Vida. Um amor ardente a governar nossa vida e tudo o que nos diz respeito. Com qual objetivo? A visão beatífica. Vê-lo na beleza da sua santidade. Olhar o Único, o Independente, o Infinito, o Autoexistente, o Imutável, o Santo, o Justo, o Sábio, o Soberano, o Doce, o Pai, a fim de nele nos deleitarmos e sabermos que ele se deleita em nós.

Por isso, o apóstolo repete a exortação: *outra vez digo: alegrem-se!* J. Hugh Michael trata de uma questão que emerge naturalmente quanto pensamos nessa exortação à luz dos infortúnios que nos acometem. Ele comenta que Paulo somente expressou dessa maneira, repetindo a exortação, porque as condições da igreja em Filipos eram tais que uma injunção como essa soaria irracional. Apesar de tudo, das lutas e perseguições, essa alegria inquebrantável é possível no Senhor.[2] Ela é conhecida profundamente por todos aqueles que, a partir de um dia, foram habilitados a poder dizer: "Eu te conhecia só de ouvir, mas agora os meus olhos te veem" (Jó 42.5).

Uma pedrada derruba o gigante desespero; em seguida, sua cabeça é cortada. Se estamos no Senhor, não temos mais inimigos. Deus não tem rival.

4.5 *Que a moderação de vocês seja conhecida por todos. Perto está o Senhor.*

O cristianismo encontrava-se nos seus primórdios. Igrejas começavam a ser plantadas em sociedades pagãs. A disseminação do evangelho dependia dessas pequenas comunidades cristãs. Paulo preocupava-se tanto com a preservação da unidade dessas igrejas, quanto com a expressão dos ideais de Cristo na vida dos seus membros. Havia um testemunho comunitário a ser dado e um testemunho individual. Não haveria pregação nem milagre capazes de resistir a uma igreja cujos membros vivessem em guerra uns com os outros e, com o seu proceder, negassem o que diziam ser verdadeiro.

Um caráter simétrico deveria ser forjado, de modo a expressar as mais diferentes virtudes de Cristo. Entretanto, algumas virtudes deveriam se fazer especialmente presentes em razão do fato de serem congeniais ao evangelho. Uma das principais era a *moderação*, chamada pelos mais diferentes comentaristas bíblicos de paciência gentil.

Há pessoas complicadas, irritantes, inconvenientes, dentro e fora da igreja. O que a fé queria a todos ensinar? Que esse amor paciente, essa gentileza, essa disposição de abrir mão de direitos para preservar a paz, esse espírito não belicoso, essa capacidade de regular no coração a ação a ser tomada, esse domínio próprio que refreia a expressão da indignação, tudo isso é essencial para manter a paz dentro e fora da igreja.

---

[2] J. Hugh MICHAEL, *The Epistle of Paul to the Phillipians*, p. 195.

Cristãos gentis dariam chance para as pessoas florescerem. Desarmariam os espíritos. Demonstrariam a mesma atitude de Cristo ao salvá-los. Corações seriam ganhos pela via do amor, que faria pegar fogo a consciência dos que os perseguiam. Os tempos eram difíceis. Pessoas egressas do paganismo chegavam à igreja, trazendo consigo hábitos a serem extirpados. No contato com os de fora, a mesma gentileza se fazia necessária no trato com pessoas que viviam sob a escravidão do mundo, da carne e do diabo. Todos, dentro e fora da igreja, deveriam testemunhar a moderação de Cristo presente na vida desses irmãos. Esse era o alvo do apóstolo Paulo.

Isso tudo representaria renúncia a ser sentida como injustiça sofrida e consentida. Perdas seriam provadas. Raiva contida. Qual o sentido disso tudo? Paulo responde: *Perto está o Senhor*. Há duas possíveis interpretações dessa verdade. A primeira é que Jesus estava para voltar. Sendo assim, toda injustiça sofrida seria julgada e todo amor manifestado seria recompensado. A segunda interpretação é igualmente gloriosa e de alto efeito santificador. O Senhor está conosco, ao nosso lado, até a consumação dos séculos. Ele tudo vê, tudo regula e tudo protege. Viver significa viver na sua presença. Quem nisso crê, comporta-se levando sempre em consideração que o que faz é visto por quem merece todo amor. A presença de Cristo é também a garantia de que sempre teremos a sua simpatia quando recebermos o ultraje sem revidar.

Eu fico com as duas interpretações. Ambas são verdadeiras. Se harmonizadas, levarão cada um de nós ao modo mais gentil de lidar com o próximo. Cristo está presente e voltará. O que me pode fazer o homem? Que resposta em amor ao que o homem me faz não será honrada por Cristo? Na verdade, tudo o que eu quero é que ele se veja em mim: "Pai, perdoa-lhes, porque não sabem o que fazem" (Lc 23.34).

> **4.6** *Não fiquem preocupados com coisa alguma, mas, em tudo, sejam conhecidos diante de Deus os pedidos de vocês, pela oração e pela súplica, com ações de graças.*

Não conheço nada mais glorioso, consolador e grandioso na literatura universal do que essa declaração. O que poderíamos esperar mais da vida? Eis a alma da fé cristã e o que a distingue de todos os demais caminhos de busca de obtenção de paz.

Preocuparmo-nos é algo que ocorre à nossa revelia. Sem chance de desviarmos o pensamento do problema com o qual nos defrontamos e do que a nossa imaginação fez com ele. Isso é impossível. Seres humanos pensam. Pensam naquilo que querem pensar e pensam naquilo que não querem pensar. A glória da humanidade é a causa de todos os seus desajustes. Somos seres pensantes, capazes de divisar nossa miséria atual e as misérias às quais estamos expostos. Não gostaríamos que fosse diferente. Não queremos deixar de ser homens.

Vivemos num mundo que amedronta. Sendo cristãos, somos forçados a lidar com problemas inerentes à tentativa de viver o cristianismo num mundo perverso. O que Paulo tem a dizer para aquela gente egressa do paganismo, que fazia parte de uma pequena comunidade cristã e que se encontrava sujeita tanto às tribulações inerentes à vida dos seres humanos quanto às tribulações inerentes à vida dos cristãos?

Aos cristãos cabia não se deixar dominar por qualquer espécie de ansiedade. Nada deveria minar sua energia espiritual, ocupar o espaço na sua mente reservado para a meta de amar, criar dúvida quanto à providência divina, causar aquela espécie de comportamento que é peculiar ao ceticismo, gerar dúvida quanto à doutrina e fomentar desconfiança quanto ao caráter de Deus. Paulo não condena a prudência e o cumprimento dos deveres políticos, sociais, familiares, profissionais, pessoais, espirituais. O que ele declarava ser incompatível com a fé cristã era a preocupação ansiosa, que paralisa, rouba a saúde, agita a mente, abrevia a vida.

Soluções cristãs devem ser oferecidas aos problemas enfrentados pelos cristãos. A igreja não deve funcionar apenas como caixa de ressonância do que é ensinado pela melhor psicologia. Os cristãos sabem que não existe felicidade fora da vida prescrita pelo evangelho de Cristo. Até quando enviaremos para psicólogos as pessoas cujos problemas devem ser tratados à luz dos artigos de fé do cristianismo? Cristãos não têm problema em recorrer à terapia. Todos são chamados por Deus a reconhecer a verdade de Deus onde quer que se manifeste e dela tirar proveito com integridade intelectual. Porém, dentro desse conjunto de verdades às quais os seres humanos têm acesso, há as verdades reveladas por Cristo. Como ignorá-las? Que desserviço a igreja presta aos seus próprios membros quando não sabe usar a boa teologia visando a solução de problemas cuja solução final passa pela compreensão da verdade revelada.

A fé cristã não é romântica. Ao ponderar sobre a natureza dos problemas que emergem à consciência de quem sobre eles é forçado a pensar, o cristianismo propõe o contato racional com o Deus real. Qual a saída? Falar com o Criador. Como existe uma radical diferença entre a oração pagã e a oração cristã, é importante que conheçamos a teologia da oração.

Em primeiro lugar, o cristão medita antes de orar. Tudo é feito *diante de Deus*. Ele começa sua oração por pensar na fidelidade, na graça, na misericórdia, no amor, no poder, nas promessas e na glória daquele a quem recorre nas horas de angústia. Portanto, ele sempre começa a oração com adoração. Assim, como consequência dessa teologia que exalta a Deus, ele passa a ver seus problemas sob a perspectiva correta. Isso é o que se chama oração. A forma mais geral de se aproximar de Deus.

Em seguida, a súplica é feita. O pedido que clama por resposta em razão de tudo o que ele representa para o que ora. Súplicas de todas as naturezas devem ser feitas. Deus tem como doce canção ouvir a voz de seus filhos e filhas. Tudo o que enverga a alma deve ser retirado dos ombros e posto aos pés do Senhor Jesus, e ali ser deixado. Deus quer uma igreja exclusivamente preocupada com aquilo que preocupa a Deus por estar certa de que Deus se preocupa com o que preocupa a igreja.

Por fim, a nota essencialmente cristã dessa oração: as ações de graças. Por que gratidão? Os motivos são inúmeros. Essa é atitude correta de quem não ora apenas a Deus, mas ao Pai de Jesus Cristo. Estamos diante daquele que "amou o mundo de tal maneira que deu o seu Filho unigênito, para que todo o que nele crê não pereça, mas tenha a vida eterna" (Jo 3.16). Não há quem compareça à presença de Deus que não traga consigo um histórico de orações respondidas e bênçãos recebidas. O crente agradece porque sabe que a resposta é certa, ainda que não seja dada nos termos em que a súplica foi feita a Deus. Ele também é grato a Deus pelo simples fato de poder orar. Quem o fez acreditar que, apesar de pecador, será admitido à presença do Deus santo? Ele agradece por estar convicto de que a alegria de Deus consiste em fazer o bem em favor dos que o amam, nele confiam e fizeram de Jesus o Senhor de sua vida.[3]

Deixar de orar é um boicote que fazemos contra a nossa própria felicidade.

> **4.7** *E a paz de Deus, que excede todo entendimento, guardará o coração e a mente de vocês em Cristo Jesus.*

Uma lei do mundo espiritual nos é apresentada nessa passagem: orar traz paz. Os versos 6 e 7 estabelecem uma relação de causa e efeito. A condição da paz é a oração. Qual oração? Aquela que é feita pelo que foi reconciliado com Deus, dirigida ao Pai, fundamentada no sacrifício do Filho e proferida nos termos estabelecidos pelo evangelho. O primeiro exercício da alma regenerada é a oração. Quem conhece o Deus revelado por Cristo é

---

[3] Oliver B. GREENE, *The Epistle of Paul the Apostle to the Phillipians*, p. 115.

inevitavelmente movido à oração. Como se calar diante de tamanha ternura e interesse pela nossa vida e promessa?

O que é a paz? A paz sempre significará o fim da guerra travada dentro do ser humano. Esse distúrbio resulta do conflito entre a mente e o anelo pela felicidade. A mente apresenta ao homem os motivos do desespero, a vida indesejável, a ameaça à existência. A imaginação, por sua vez, trata de ampliar esses temores. A natureza humana se rebela. Pensar no sofrimento real ou imaginário faz o ser humano usar os mais diferentes mecanismos de defesa do ego: negação da realidade, drogas, barganha com os poderes da natureza, comportamentos bizarros que visam ganhar o favor de Deus. Nada, contudo, é capaz de erradicar da natureza humana a busca por respostas que satisfaçam à razão.

Quando a guerra chega ao fim no espírito humano? Sempre que o ser humano se vê de posse de uma felicidade que não teme perder. Pensemos na pessoa feliz. Sua felicidade consiste em julgar racional desejar mais felicidade. Sua capacidade de obter mais felicidade é vista em pleno processo de ampliação e isso a torna feliz. Ela sabe que essa marcha atravessará as eras.

Fica uma pergunta: de onde surgiu esse devaneio? Que felicidade é essa, capaz de fazer esse ser insignificante, habitante de um diminuto planeta, que faz parte de uma galáxia entre bilhões de galáxias, olhar para o universo e dizer que nada o impedirá de viver em processo de crescente felicidade?

A resposta está na natureza da paz prometida pelo evangelho. Ela é chamada de *paz de Deus*. Quais são as suas principais características? Ela é a paz que tem como fundamento o caráter de Deus. A galáxia de Andrômeda pode passar, mas Deus jamais deixará de ser santo. Por amor do seu nome cumprirá sempre o que prometeu. O poder fiador dessa paz é o mesmo que do nada criou o cosmos. Não há estrela autoexistente. Essa paz consiste na promessa de um pacto selado pelo sangue da Palavra criadora que se fez homem. Estamos, portanto, perante uma paz adaptável às exigências de seres pensantes. Sejamos francos, a paz é uma quimera se não tiver como sustentáculo a palavra de Deus.

O que falar sobre os atributos dessa paz prometida pelo evangelho? Ela *excede todo entendimento*. Está para além de tudo o que o ser humano seria capaz de conceber sem a luz da revelação. É incircunstancial, uma vez que seu avalista é justamente aquele que regula soberanamente todas as circunstâncias da vida dos seus eleitos. Comunica sobriedade, consolação e ânimo quando as dificuldades da vida tentam jogar os filhos de Deus contra o próprio Deus, chamando-o de cruel, desumano, indiferente. Atenas pode conjecturar sobre essa paz, mas apenas Jerusalém poderá experimentá-la. Ela não é fruto da filosofia, do engenho humano, dos poderes da razão. Ela é fruto do evangelho, da revelação de Cristo e do poder divino que fortalece a razão humana para que ela pense e creia.

Essa paz exerce o papel de sentinela na vida dos que amam a Deus. Como um bom soldado armado, ela guarda o coração, sede das nossas afeições e inclinações, de onde procede o espírito da mente, que a faz funcionar de um determinado modo. Ela também guarda a mente, não permitindo que os dardos inflamados do maligno a atinjam, fazendo assim, pela graça divina, com que o ser humano pense no serviço a ser prestado ao mundo, em vez de pensar nas ameaças do mundo à sua vida.

O evangelho nos ensina, contudo que não basta associar a palavra *Deus* à palavra *paz* a fim de que nossos problemas sejam resolvidos. A palavra "Deus" não resolve nada. Quem resolve é o Deus revelado por Jesus Cristo. A promessa de paz só é cumprida e faz sentido na vida daqueles que se reconciliaram com Deus por meio de Cristo e que, por essa razão, hoje, não se relacionam mais com Deus, mas sim com o Pai, Deus onipotente.

> **4.8** *Finalmente, irmãos, tudo o que é verdadeiro, tudo o que é respeitável, tudo o que é justo, tudo o que é puro, tudo o que é amável, tudo o que é de boa fama, se alguma virtude há e se algum louvor existe, seja isso o que ocupe o pensamento de vocês.*

Paulo quer encerrar a carta, mas seu amor não permite. Grande consolação para pregadores que anunciam o fim da pregação mas nunca terminam, como eu! Ele tem muito o que dizer para os *irmãos*. Pensar na igreja o enchia de zelo pelo seu bem-estar. Ele queria uma igreja santa e feliz. Essas notas se fazem presentes de modo nítido nos versos que estamos examinando.

A mente exerce primazia na vida cristã. Não podemos pensar em santificação e felicidade sem que o evangelho governe, regule e inspire nossa vida mental. Amplia-se na nossa vida a possibilidade de vivermos a plenitude do cristianismo se nossa mente meditar sobre a vida cristã, considerar seus motivos e propuser à vontade o caminho a ser seguido. Não podemos ignorar os fatores inconscientes da nossa vida mental. Contudo, por mais humildes que devamos ser quanto ao nosso sonho de nos comportarmos sempre de modo racional, que teoria psicanalítica deve nos convencer a abrir mão da busca por uma condução da nossa vida que seja dirigida pelos valores e visão de mundo nos quais acreditamos?

O que Paulo propõe nesse verso não se trata apenas de pensamento, mas também de reconhecimento, planejamento, avaliação piedosa. Ele chama todos a ocuparem a mente com *o que é verdadeiro*. O cristão deve amar a verdade e encarnar a verdade. Ninguém sabe melhor do que ele que o mundo encontra-se sob o princípio da mentira, que se transforma em cultura por meio da ação de seres invisíveis, inteligentes e malignos. O *respeitável* deve também ocupar espaço na sua mente, uma vez que aquilo que é digno de respeito, que é nobre e honorável deve ser objeto da sua mais séria reflexão.

As demandas da justiça precisam ser também objeto dos seus interesses e engajamento intelectual. Ele deve pensar no que faz com que a Deus seja dado o culto que lhe é devido e ao homem seja dado aquilo que o valor da sua vida requer. Ele deve reconhecer as manifestações da justiça na sociedade. Trazer à sua memória os atos de justiça de Deus. Ele também deve considerar o que é *puro*. O que não tem mancha, não polui, não estimula à prática do que é ofensivo à santidade de Deus. Em suma, o que é inocente e faz com que ninguém seja prejudicado pelo que fazemos.

Os cristãos são estimulados pela graça a amarem o belo. É natural que Paulo os chame para pensarem no que é *amável*. F. F. Bruce define esse tema da meditação dos santos da seguinte forma: "Tudo o que é amável se autorrecomenda pela atração e encanto intrínsecos. São aquelas coisas que proporcionam prazer a todos, não causando dissabor a ninguém, à semelhança de uma fragrância preciosa".[4] O que tem *boa fama* é o que faz não cristãos e cristãos o estimarem. Aquilo que possui reputação admirável.

Em suma, a nova natureza gerada pela graça anseia pelo que promove a virtude e é digno de louvor. Ou seja, o excelente e o recomendável. O que promove o amor, viabiliza a vida em sociedade e honra a Deus. Se os cristãos ocuparem suas mentes com algo diferente, sentirão muito desconforto, incômodo, tristeza, porque o Espírito que habita em seu coração suprimirá todas as suas consolações, uma vez que estamos desonrando nosso hóspede divino. Jamais nos esqueçamos do fato de que servimos a um Deus ciumento. Ser amado por ele não é fácil.

A paz, a alegria, o bom testemunho e a santificação dependem não apenas das nossas orações, mas também da manutenção de uma disciplina mental, que nos faz pensar os pensamentos de Cristo. É claro que não podemos impedir que os maus pensamentos venham. Eles vinham sobre a cabeça do apóstolo Paulo. O nosso Salvador foi tentado. A imagem horrorosa dele

---

[4] F. F. BRUCE, *Novo Comentário Bíblico: Filipenses*, p. 156.

curvado diante de Satanás passou pela sua mente. Às vezes estamos imputando a nós o que veio de fora. As Escrituras falam sobre os dardos inflamados do maligno. Temos as nossas fantasias. Desejos ardentes, que mexem com a imaginação. Lembrança dos prazeres pecaminosos da nossa vida pregressa. Duas coisas devemos fazer nessas horas: a primeira, não deixar que esses pensamentos façam ninho na nossa cabeça; a segunda, lembrar-nos do melhor amigo da nossa alma:

> Tendo, pois, Jesus, o Filho de Deus, como grande sumo sacerdote que adentrou os céus, conservemos firmes a nossa confissão. Porque não temos sumo sacerdote que não possa se compadecer das nossas fraquezas; pelo contrário, ele foi tentado em todas as coisas, à nossa semelhança, mas sem pecado. Portanto, aproximemo-nos do trono da graça com confiança, a fim de recebermos misericórdia e encontrarmos graça para ajuda em momento oportuno.
>
> Hebreus 4.14-16

4.9 *O que também aprenderam, receberam e ouviram de mim, e o que viram em mim, isso ponham em prática; e o Deus da paz estará com vocês.*

Com que autoridade Paulo chegou a Filipos a fim de exercer tamanha influência sobre a vida de homens e mulheres daquela cidade? Como pode alguém dizer e convencer pessoas sobre o modo como deveriam viver? Nada é mais escandaloso e inaceitável para a modernidade do que a sujeição à autoridade de quem quer que seja.

Aquelas pessoas tiveram acesso a uma mensagem que atendeu às suas mais profundas aspirações existenciais. Elas divisaram a beleza de Cristo. Jamais se converteriam se o Espírito Santo não as tivesse levado às lágrimas por força da revelação da beleza de Cristo. Elas ouviram o apóstolo Paulo pregar e receberam o evangelho. A elas foram apresentados fatos históricos e respostas para as grandes questões da vida. Elas ouviram falar sobre o juízo vindouro e a oferta de redenção feita por Cristo. Manifestações do poder de Deus ocorreram. As portas do cárcere se abriram, homens foram vistos louvando em meio aos sofrimentos que enfrentavam e uma jovem escrava, vítima de um demônio que a assediava, foi liberta de modo espetacular.

Paulo ensinou o evangelho e o apresentou na sua vida. Havia, portanto, o legado de uma pregação proposicional, que lhes apresentou verdades objetivas a serem cridas. Mais do que isso: as pessoas viram a reprodução da vida de Cristo na vida de um apóstolo. Elas não conheceram o Cristo encarnado, mas viram Cristo na vida de um homem.

Aprendemos duas lições com esse verso. A primeira tem a ver com a evangelização do mundo: a melhor apologética que existe é a pregação clara e apaixonada do evangelho feita por alguém que, por meio de sua vida, permite que Cristo revele a sua beleza. A segunda tem a ver com a doutrina da santificação: o contato com a biografia dos santos é um dos mais poderosos estímulos à vida santa. Que conheçamos o testemunho desses luminares da história da igreja, cujo amor por Cristo nos humilha, emociona, inspira e ilumina.

O cristianismo jamais deve ser transformado em filosofia. Suas verdades são reveladas para serem cridas e praticadas: *isso ponham em prática*. De que vale a igreja se orgulhar da sua tradição teológica se os seus membros são capazes de julgar que ler os teólogos do passado significa ter o seu espírito? De que vale a busca por experiências místicas que não tornam a vida mais humana? Somos justificados pela fé somente, mas jamais por uma fé que está sozinha. Somos justificados por uma fé que precisa ser justificada pelas obras. Sem as obras do amor a fé é morta.

O que acontece com a vida de uma igreja que preserva a doutrina e, por amá-la, a reproduz em sua vida? Não conheço promessa maior: a promessa da sujeição intelectual à verdade e obediência ativa consiste na presença inconfundível do Deus da paz na vida de cada um dos seus membros. Haverá transcendência no lar, nos cultos, na oração particular. A igreja não apenas conhecerá teologia. Ela terá contato com a realidade para a qual a teologia aponta.

Os redimidos terão contato com o Deus da paz. Deus se tornará real. Mais do que isso, o Deus que se manifestará será o Deus que se tornou propício ao seu povo. A igreja conhecerá de modo vivo o Deus que abraça, perdoa, encoraja, consola. Uma coisa é sentir a presença de Deus, outra coisa é sentir a presença do Deus da paz. Os demônios conhecem aquela, os anjos e os seres humanos eleitos conhecem essa. Deus fará o seu povo sorrir.

Vale ressaltar um ponto: observa-se que desde o início do cristianismo há uma forma de viver, um espírito que passa de geração em geração. Cristo revelou o caráter de Deus, os discípulos revelaram o caráter de Cristo, os primeiros convertidos reproduziram a vida de Cristo tal como foi manifestada na vida dos apóstolos, e assim foi ao longo desses mais de dois mil anos de história. Nenhuma igreja tem o direito de criar uma cultura religiosa que seja repugnante para a tradição de pensamento e vida presente na vida de cristãos de todas as eras. Jamais haverá paz na igreja que não anda no espírito da comunidade da fé.

4.10 *Fiquei muito alegre no Senhor porque, agora, uma vez mais, renasceu o cuidado que vocês têm por mim. Na verdade, vocês já tinham esse cuidado antes, só que lhes faltava oportunidade.*

Paulo testemunha haver experimentado na prisão uma grande alegria em Cristo. Tratava-se, portanto, de algo que lhe acontecera e no qual via a mão de Cristo. Cristo fizera o amor solidário florescer na igreja de Filipos. Essa igreja já havia expressado um grande amor pelo seu pastor, porém, por algum motivo, houve um hiato na ajuda enviada a Paulo visando ao seu sustento no campo missionário. Agora, por meio de Epafrodito, a igreja, estimulada por Cristo, socorria aquele que estava na ponta oferecendo sua vida a Cristo como sacrifício vivo em favor da evangelização do mundo. A providência divina criara a oportunidade que faltava, a igreja nela identificou a chance de glorificar a Deus e expressar amor por meio da oferta a ser enviada a quem tanto amavam. Que belo retrato da vida cristã.

Aqui vemos um pastor alegre pela oferta recebida. O cuidado de Deus o enchia de ações de graças. Contudo, o que mais trazia alegria ao seu coração era o fato de a igreja de Filipos haver emitido nota de vida. Aquela oferta apontava para o fato de que a igreja não estava em falta quanto a uma virtude basilar do cristianismo: a misericórdia pelo irmão que sofre. Observamos também a preocupação do apóstolo Paulo em deixar clara a sua gratidão e que em nada estava ofendido pelo lapso de tempo entre as ofertas. Ele demonstra entender que havia um motivo para não enviarem ajuda.

Paulo não era dono da igreja. Ele não via a obra missionária como um grande negócio. As pessoas eram livres para ajudar de acordo com suas possibilidades. O que ele queria não era ser ajudado, mas ver as marcas do evangelho na vida de uma igreja que havia acabado de nascer. A evangelização do mundo dependia de uma igreja capaz de revelar essa espécie de amor. Ele estava alegre no Senhor não tanto por ter recebido a oferta, mas por ver a graça de Deus atuando na vida dos seus filhos espirituais.

Há princípios presentes nessa história que não devem passar despercebidos por nós. Primeiro, o princípio da gratidão, que, nesse caso, era uma via de mão dupla. Segundo, a obrigação de cada igreja local de não abandonar aqueles que se afadigam na pregação da Palavra e expansão do reino de Cristo. Terceiro, o princípio da misericórdia: a igreja deveria ter como inimaginável deixar de socorrer seus membros nas suas necessidades. Assim, o cristianismo chegou até os nossos dias. Não apenas pregação e milagres, mas também amor entre os cristãos.

4.11 *Digo isto, não porque esteja necessitado, porque aprendi a viver contente em toda e qualquer situação.*

Paulo zelava pelo seu testemunho perante a igreja. Ele sabia que seu exemplo de vida era tão central para a edificação do corpo de Cristo quanto suas palavras. Ele temia ser mal interpretado e que, com isso, os cristãos de Filipos fossem levados a ter uma opinião equivocada sobre a vida cristã.

Ele era grato a Deus e aos homens pela oferta recebida. Se não precisasse dela, pediria para que a encaminhassem para outros. Sua alegria, contudo, não era prioritariamente devida ao suprimento de sua necessidade. Era isso o que ele queria que a igreja entendesse. Paulo buscava semear entre os cristãos uma atitude de independência e autonomia em relação à vida. Essa mentalidade era consequência da fé em não poucas doutrinas e condição indispensável para que cristãos não fossem tiranizados pelas circunstâncias da vida, num mundo que sempre traz a todos muita contrariedade. Sobre o que Paulo falava?

O conceito não é exclusivamente cristão. Podia ser encontrado no estoicismo. Entretanto, o seu fundamento e motivação eram novos para as filosofias grega e latina. A declaração é magistral, síntese da vida que Cristo veio ao mundo nos oferecer: *aprendi a viver contente em toda e qualquer situação.*

Blindar a vida para a pressão exercida pelas circunstâncias adversas, sejam elas boas ou ruins, é meta que homens e mulheres das mais diferentes religiões e tradições filosóficas perseguem. Fatos trágicos e amargos causam ruína à existência. Dádivas podem ser perdidas. Deve-se, portanto, lidar com indiferença com um mundo que não tem interesse pela nossa felicidade. Mas, isso é tudo? Qual o ganho? O que extrair disso? Por que a distribuição dessa dor é tão desigual?

Os cristãos mantém uma atitude de contentamento em relação à totalidade da vida por bons, justos e sábios motivos. Os cristãos sabem que, se Cristo morreu por eles, Deus não pode estar brincando com a vida deles. Também estão certos de que o Pai governa o universo em favor da felicidade do seu amado povo. Os cristãos querem Cristo. Sua meta precípua de vida não é viver em tais e tais circunstâncias, mas conhecer Cristo, amar Cristo, servir a Cristo, glorificar a Cristo e depois viver eternamente com Cristo. O exemplo de Cristo os constrange, o único ser humano realmente inocente que sofreu. Os discípulos de Jesus também têm noção do fato de que Deus usa as adversidades da vida para a sua santificação. Embora não busquem o sofrimento, estão familiarizados com o fato de que as mais doces e profundas revelações do amor divino ocorrem justamente na hora da tribulação.

Paulo não declara ter aprendido essas lições na filosofia do seu tempo. Ele não afirma ter nascido com elas. Ele não as compreendeu de imediato ao se converter. Ele testemunha haver aprendido o valor do contentamento no decorrer dos anos. Sem a mínima dúvida, ele aprendeu por meio da impressionante fidelidade divina tornada presente nos seus momentos de sofrimento.

Não conheço vida mais desejável do que essa.

> **4.12** *Sei o que é passar necessidade e sei também o que é ter em abundância; aprendi o segredo de toda e qualquer circunstância, tanto de estar alimentado como de ter fome, tanto de ter em abundância como de passar necessidade.*

Paulo passa agora a apresentar um relato sobre o que significou para ele na vida real "viver contente em toda e qualquer situação" (Fp 4.11). Ao abrir seu coração para a igreja a fim de que ela entendesse suas motivações, Paulo traz uma informação honesta para os seus membros ao apresentar uma teologia da qual os pregadores de hoje fogem em razão do medo de esvaziarem suas igrejas.

Paulo apresenta a teologia da providência divina na vida dos eleitos. O que ele ensina é desanimador para quem se aproximou de Cristo pensando tão somente em ter a vida preservada de infortúnios. A ausência de severas tribulações nessa vida não faz parte do conteúdo da aliança feita entre Deus e os homens por meio do evangelho. A providência pode parecer cruel. Podemos passar momentos nos quais estaremos expostos à dúvida quanto ao fato de até mesmo haver uma providência. Tudo se torna absurdo, despropositado, sofrido. É como se ele dissesse: "Saí de Israel e me dirigi para Filipos a fim de ser franco com todos vocês. Essas são as condições apresentadas pelo evangelho. Ser reconciliado com Deus não os poupará de lutas severas". Podemos dizer o que for sobre essas lutas, mas jamais declarar que o evangelho nos enganou.

O que ele relata ter enfrentado após sua conversão na estrada de Damasco? Ele fala de circunstâncias de vida muito humilhantes. Momentos nos quais a vida e os homens lhe concediam tratamento duro. Certamente ele está falando de provas das mais diferentes naturezas. Ele sabia o que era a fome, a sede, o frio, a nudez, os sofrimentos físicos, a tortura mental, a perseguição etc.[5] A lista é longa e não exaustiva sobre os sofrimentos vividos por Paulo:

> Entretanto, chegaram judeus de Antioquia e Icônio e, instigando as multidões, apedrejaram Paulo e o arrastaram para fora da cidade, dando-o por morto.
>
> Atos 14.19

---

[5] William HENDRIKSEN, *Filipenses: Comentario del Nuevo Testamento*, p. 229.

Então a multidão se levantou unida contra eles, e os magistrados, rasgando-lhes as roupas, mandaram açoitá-los com varas. E, depois de lhes darem muitos açoites, os lançaram na prisão, ordenando ao carcereiro que os guardasse com toda a segurança. Este, recebendo tal ordem, levou-os para o cárcere interior e prendeu os pés deles no tronco.

Atos 16.22-24

Quando Gálio era procônsul da Acaia, os judeus, de comum acordo, se levantaram contra Paulo e o levaram ao tribunal, dizendo: "Este homem quer persuadir as pessoas a adorar a Deus de um modo contrário à lei".

Atos 18.12-13

Havendo atravessado aquelas terras, fortalecendo os discípulos com muitas exortações, dirigiu-se para a Grécia, onde se demorou três meses. Quando estava para embarcar rumo à Síria, houve uma conspiração por parte dos judeus contra ele. Então decidiu voltar pela Macedônia.

Atos 20.2-3

Veja o seu comovente relato:

Não queremos dar nenhum motivo de escândalo em coisa alguma, para que o ministério não seja censurado. Pelo contrário, em tudo nos recomendamos a nós mesmos como ministros de Deus: na muita paciência, nas aflições, nas privações, nas angústias, nos açoites, nas prisões, nos tumultos, nos trabalhos, nas vigílias, nos jejuns, na pureza, no saber, na paciência, na bondade, no Espírito Santo, no amor não fingido, na palavra da verdade, no poder de Deus; pelas armas da justiça, tanto para atacar como para defender; por honra e por desonra, por infâmia e por boa fama; como enganadores e sendo verdadeiros; como desconhecidos, mas sendo bem-conhecidos; como se estivéssemos morrendo, mas eis que vivemos; como castigados, porém não mortos; como entristecidos, mas sempre alegres; como pobres, mas enriquecendo a muitos; como nada tendo, mas possuindo tudo.

2Coríntios 6.3-10

Vale a todos lembrar: não há nota de ascetismo, estoicismo ou autoflagelação na vida e na pregação do apóstolo Paulo. Ele sabia receber com ações de graças as bênçãos de Deus. Não se sentia culpado pelos dias de fartura. Porém, não colocava neles o seu coração, recusando-se a viver para eles, deixando-se assim corromper pela prosperidade. Em suma, a abundância não o corrompia e a escassez não o amargurava.

Paulo possuía um cérebro prodigioso. Não há como superestimar sua influência na formação da cultura das mais diferentes nações. Como sua prodigiosa inteligência se comportava nas horas de tribulação? A providência o botava nas mais diferentes condições de vida. Ela então fazia perguntas ao que enfrentava. Na extensão do que sua mente permitia, buscava entender o propósito divino nesses altos e baixos da vida. Ele testemunha haver aprendido um mistério, fruto de atenção cuidadosa ao que lhe ocorria. Parte da sua teologia havia sido elaborada mediante o recebimento da revelação, o uso da razão e a dinâmica da existência.

O que ele observou? Ele percebeu um padrão. As circunstâncias mudam, mas há fatos em relação a elas que não variam. Quais? As tribulações vêm e as tribulações passam. Precisamos, portanto, enfrentá-las com paciência. Esses sofrimentos nos santificam, fazem com que nos tornemos mais dependentes de Deus e criam oportunidades extraordinárias de revelarmos ao mundo a diferença que Cristo faz em nossa vida. Ele sabia que é glória não perder o ser na dor e passar provações por amor ao evangelho. Sem a mínima dúvida, tornou-se claro para ele que a fidelidade divina impede que passemos por prova que não possamos suportar. Outra verdade que aprendeu nas horas de provação: a doce presença de Cristo compensa toda dor. Ele é sempre "socorro bem presente nas tribulações" (Sl 46.1).

Havia também os segredos que ele assimilou nos dias de prosperidade: que a posse das bênçãos temporais é incerta, por isso é rematada loucura botar nelas a nossa esperança. Ele foi testemunha do seu poder corrosivo, uma vez que não há nada que seja acrescentado à vida de um homem que não se torne motivo de tentação. Outro mistério que aprendeu: que o crente come a comida e sente o sabor porque tem alguém no universo para expressar sua gratidão. Ele também conheceu o Deus que é poderoso para impedir que a prosperidade nos afaste dos seus caminhos. O problema não está na honra, na fartura, no conforto, mas na atitude do coração, que deve sempre dizer: "Tu és o meu Senhor; outro bem não possuo, senão a ti somente" (Sl 16.2). O crente celebra a prosperidade, mas não fica embasbacado com ela. Vive com moderação. Mantém-se sóbrio. Seus afetos estão no céu, sua meta é ser igual a Cristo, seu maior prazer é ser cheio do Espírito Santo.

4.13 *Tudo posso naquele que me fortalece.*

A providência divina reserva para nossa vida lutas que surpreendem. Seguir a Cristo sempre será custoso. A fé cristã não romantiza a relação com Deus. Ela fala sobre os caminhos áridos e inescrutáveis da providência. Ela mostra os custos de seguir a Cristo. Passamos por momentos em que parece não haver cuidado providencial e o ato de seguir a Cristo se torna extremamente custoso. O cristianismo admite que a vida é dura, curta e incerta. O cristianismo admite que seguir a Cristo num mundo de desamor e mentira nunca será fácil. Há, portanto, problemas inerentes à vida e problemas inerentes ao exercício da vida cristã.

Sabemos também que, por essa mesma providência divina, podemos ser honrados e viver com fartura. Há alegrias que são inerentes ao ato de sujeitar tudo o que temos e somos à vontade de Cristo. A fé cristã não é pessimista. Ela fala sobre um Deus que ouve nossa oração e cobre nossa vida de bênçãos temporais. Ela fala sobre um Cristo que, no mar da Galileia, preparou um delicioso café da manhã para os seus discípulos. Em suma, cristãos podem ganhar visibilidade na sociedade, receber reconhecimento público, experimentar momentos de refrigério proporcionados pelo acesso aos bens desse mundo.

Qual a meta do discípulo em meio a tudo isso? Não perder o ser. Seja na tribulação, seja na prosperidade. Esse é o sentido do *tudo posso*. Tudo posso o quê? Amar. Amar a Deus, amar os seres humanos, amar a igreja. Seja qual for a circunstância, crer que a adoração e a dedicação ao reino dos céus são respostas racionais à revelação que Deus faz de si mesmo na natureza, nas Escrituras e em Cristo.

A abundância e a escassez carregam consigo tentações que lhes são próprias. O que a graça divina promete é uma provisão espiritual que não permitirá que a fartura nos corrompa, tornando-nos soberbos, autônomos em relação a Deus e dirigidos pelo espírito que governa o mundo. Ela também promete que a tribulação não terá o poder de trazer amargura para o nosso relacionamento com Cristo.

O segredo está no contentamento. Não recebo com culpa as bênçãos deste século. Não recebo com ressentimento as desventuras. Sou grato pelo que Deus decretou. Se ele preparou para mim uma mesa na presença dos meus adversários, fez o maná cair do céu, acrescentou as demais coisas como fruto do meu compromisso com o seu reino e a sua justiça é porque ele me ama e escolheu santificar meu coração dessa forma. Se ele permitiu que me visse cercado de adversários, passasse por períodos de escassez e a própria vida cristã tornasse tudo difícil para mim é porque ele decidiu purificar meu coração por meio do fogo da tribulação.

Como essa promessa tão extraordinária é cumprida? Por meio de Cristo. O que ele está dizendo é de tirar o fôlego. Se tudo o que afirma é real, temos motivos para cair de joelhos na presença de Cristo. Estamos cercados de tentações. Períodos de paz e de lutas são perigosos para a alma. Vivemos num mundo tenebroso. Há sugestões infernais que visam nos afastar de Deus em ambas as espécies de circunstâncias. Entretanto, Cristo nunca se afasta de nós.

Paulo fala de uma presença pessoal. Alguém muito bem informado sobre tudo o que ocorre conosco e que jamais nos abandonará. Cristo é o pastor que cuida das suas ovelhas. Como o faz? Fortalecendo! Dando força para que sejamos resolutos quanto ao propósito de vivermos para a glória dele. Derramando poder sobre o ser a fim de que a fé inabalável no cuidado providencial de Deus promova o contentamento. Onde há contentamento, há gratidão. Onde há gratidão, há amor. Onde há amor, há fidelidade.

Com profunda emoção, Paulo deve ter se lembrado, ao escrever este versículo, de uma experiência mística vivida com Cristo antes de chegar a Roma: "Na noite seguinte, o Senhor, pondo-se ao lado de Paulo, disse: 'Coragem! Pois assim como você deu testemunho a meu respeito em Jerusalém, é necessário que você testemunhe também em Roma'" (At 23.11).

A chama da fé é mantida por Cristo. Uma pessoa nos sustenta. Nada no cristianismo é impessoal. Quem crê nessa assombrosa amizade com o Salvador mantém relação de grande independência em relação às pressões das conjunturas da vida. Se há alguém feliz neste planeta, esse alguém é aquele que é capaz de declarar: *tudo posso naquele que me fortalece*. Ele olha para o futuro e diz: "Não sei o que a providência divina tem reservado para mim, com a exceção do fato de que Deus decretou que Cristo jamais se apartaria de mim. Ele decretou o que não sei. Ele decretou o que sei. O que sei é suficiente para que não me preocupe com o que não sei".

Tudo isso me faz lembrar desta extraordinária experiência vivida por Moisés:

> Moisés disse ao SENHOR: "Eis que me dizes para conduzir este povo, mas não me disseste quem enviarás comigo. Disseste: 'Eu conheço você pelo nome e você alcançou favor diante de mim'. Agora, se alcancei favor diante de ti, peço que me faças saber neste momento o teu caminho, para que eu te conheça e obtenha favor diante de ti; e lembra-te que esta nação é teu povo". Deus respondeu: "A minha presença irá com você, e eu lhe darei descanso".
>
> Êxodo 33.12-14

Este é o ponto central: nunca estaremos sós. A presença de Cristo irá com você e comigo, e ele pessoalmente nos dará descanso. Como viver, amigo, sem essa esperança?

4.14 *No entanto, vocês fizeram bem, associando-se comigo nas aflições.*

Chama a atenção nessa passagem a simetria da mensagem do apóstolo. É evidente a sua preocupação em conduzir a igreja a uma autonomia em relação à vida, mas não a ponto de desconsiderar os modos naturais de suprimento das necessidades humanas. Deus nos fortalece dando-nos subsídios para que estejamos contentes na escassez e na fartura. Deus também é poderoso para mover corações humanos a fim de que nossas necessidades sejam supridas pelos irmãos na fé. Percebe-se também a intenção de não ser ingrato com a igreja, expressando uma fé que poderia ser interpretada como arrogante, uma vez que era incapaz de reconhecer a provisão divina por meio da solidariedade humana.

A igreja havia feito o bem. Foi para dentro da prisão com Paulo. O amor fraternal exige que os cristãos sustentem seus irmãos que estão na ponta servindo a Cristo a um alto custo pessoal. Que iniquidade não nos preocuparmos em tornar mais suave o fardo dos nossos missionários, pastores e ativistas sociais. Falando de uma forma positiva: que consolação saber que estamos servindo a Cristo amparados pelo amor da igreja!

4.15 *E como vocês, filipenses, sabem muito bem, no início da pregação do evangelho, quando parti da Macedônia, nenhuma igreja se associou comigo nessa questão de dar e receber, exceto vocês, somente.*

Paulo faz um reconhecimento público da generosidade dos membros da igreja de Filipos. Toda igreja precisa dessa espécie de encorajamento. Há pastores que, por tantas vezes falarem mal da igreja, acabam tornando a igreja tão doente quanto seus descaridosos vaticínios.

Paulo agia com sinceridade. Seu elogio era baseado em fatos. A igreja de Filipos foi a única que fez uma aliança com o apóstolo Paulo, como que a dizer-lhe: "Pode partir sem receio para cumprir o seu chamado, pois jamais permitiremos que lhe falte o necessário para viver". Por isso, ele pode dizer para a igreja de Corinto: "Tirei de outras igrejas, recebendo salário, para poder servir a vocês. E, estando entre vocês, ao passar privações, não me fiz pesado a ninguém; pois os irmãos, quando vieram da Macedônia, supriram o que me faltava. Em tudo, me guardei e me guardarei de ser pesado a vocês" (2Co 11.8-9).

Filipos nasceu sob o signo da generosidade. Como esperar que o Espírito Santo opere numa igreja que se recusa a compartilhar o que tem a fim de que a obra de expansão do reino seja levada a cabo por homens e mulheres soberanamente separados para essa missão? Mais uma vez, falando de modo positivo: que belo quadro nos é apresentando por este versículo! Homens e mulheres recém-convertidos pegando o fruto do seu penoso trabalho e aplicando-o na obra missionária. O cristianismo chegou até aqui devido ao desprendimento dos cristãos no decorrer dos séculos. Todos somos frutos das ofertas em dinheiro dadas pelos irmãos na fé. Vale destacar um ponto: esses recursos somente existem na igreja porque há homens e mulheres exercendo suas profissões. Esses entenderam que glorificar a Deus não significa ser pastor, mas manter-se fiel à sua vocação. Em razão dessa teologia do trabalho secular, a sociedade conta com cristãos que dão seu bom testemunho por meio do exercício de suas atividades profissionais e, assim, a igreja possui dinheiro para investir nos campos missionários.

Cada igreja local deve buscar simetria de compromisso com a obra de Deus no mundo, pregando, ensinando, cuidando dos necessitados e atuando profeticamente. Entretanto, parece que cada igreja local tem um chamado especial a fim de cumprir com êxito acima da média a sua principal vocação. Filipos fora vocacionada para derramar dinheiro na obra missionária: *nenhuma igreja se associou comigo nessa questão de dar e receber, exceto vocês, somente.*

4.16 *Porque até quando eu estava em Tessalônica, por mais de uma vez vocês mandaram o bastante para as minhas necessidades.*

A atividade evangelística do apóstolo Paulo em Tessalônica foi possibilitada pela igreja de Filipos. Com isso, Paulo conseguiu se dedicar à obra missionária na cidade e a igreja de Tessalônica não ficou sobrecarregada; além disso, um possível impedimento foi removido a fim de que a pureza de intenção de Paulo ficasse estampada a todos[6] e a igreja de Filipos teve a honra de se tornar partícipe da obra de expansão do reino de Cristo.

Paulo destaca dois aspectos do amor generoso da igreja de Filipos: a constância e a responsabilidade. Eles ajudaram mais de uma vez, e sempre de modo a não permitir que Paulo passasse necessidade no campo missionário. Que botemos na cabeça um fato: graças à igreja de Filipos, o evangelho chegou até nós.

Mais belo do que ver a igreja de Filipos em ação é ver a obra de Deus na vida da igreja, inspirando a generosidade. A imagem da fidelidade divina ao apóstolo Paulo, movendo corações a fim de que seu servo fosse socorrido, é belíssima. Deus honra aqueles que o honram.

---

[6] Veja 1Ts 2.9 e 2Ts 3.8. A oferta de Filipos talvez não tenha eliminado a necessidade do apóstolo Paulo de trabalhar. Sua meta era não causar escândalo.

> **4.17** *Não que eu esteja pedindo ajuda, pois o que realmente me interessa é o fruto que aumente o crédito na conta de vocês.*

Paulo revela uma constante e grande preocupação em não se fazer entender pelos membros da igreja de Filipos. Apesar do histórico de serviço e amizade, ele não ignorava os desígnios das trevas. Ele sabia que, se houvesse sombra de dúvida quanto à natureza dos seus propósitos, pessoas poderiam deixar de ouvi-lo por julgá-lo mercenário. É sinal de falta de amor aos homens e temor de Deus a igreja não ter a mínima preocupação com os escândalos que um comportamento dúbio é capaz de causar. Todo aquele que vive do ministério cristão tem o dever de se preocupar com essa área da sua vida. É preciso deixar claro por palavras e ações que seu trabalho não é movido por ganância.

Como não falar para cada igreja local, contudo, sobre dinheiro e as necessidades financeiras dos seus ministros? Como se manter silente quanto ao fato de que uma igreja avara pode estar emitindo sinal de ausência de conversão? É razoável dizer isso? Sim. Vivemos num mundo no qual pobres carecem da misericórdia da igreja e homens e mulheres que largaram tudo para servir a Cristo necessitam ter seu chamado honrado na forma de contribuições que lhes permitam viver com dignidade.

Por isso, a declaração da parte final do verso 17: *o que realmente me interessa é o fruto que aumente o crédito na conta de vocês*. Essa era a preocupação precípua do apóstolo. Se a igreja ignorasse seu sofrimento na prisão, a dor que ele sentiria por não ver Filipos vivendo o cristianismo seria pior do que a dor da necessidade. Ele sabia que o exercício daquela misericórdia exercida em seu favor traria benefícios para a vida da igreja que não seriam obtidos de outra forma. Diz William Hendriksen: "Entre os frutos que colheriam tais doadores, podemos mencionar os seguintes: uma boa consciência, a segurança da salvação, a rica comunhão com outros crentes, uma ampla visão das necessidades e interesses da igreja universal, um aumento de gozo e amor (ambos comunicados e recebidos), um alto grau de glória no céu, e o louvor no Dia do Juízo".[7]

As Escrituras estão repletas de promessas para os generosos: "A pessoa generosa prosperará..." (Pv 11.25); "Quem se compadece do pobre empresta ao SENHOR, e este lhe retribuirá o benefício" (Pv 19.17); "Cada um contribua segundo tiver proposto no coração, não com tristeza ou por necessidade, porque Deus ama quem dá com alegria" (2Co 9.7).

Paulo está simplesmente dizendo que os grandes beneficiados com aquela ajuda que recebera seriam os próprios membros da igreja. Deus é devedor

---

[7] William HENDRIKSEN, *Filipenses: Comentario del Nuevo Testamento*, p. 232.

de todo aquele que foi objeto da nossa misericórdia. Ele se põe à frente do pobre e declara ao doador: "a dívida é minha". Feliz o que responde: "pela tua graça, o privilégio é meu".

> **4.18** *Recebi tudo e tenho até de sobra. Estou suprido, desde que Epafrodito me entregou o que vocês me mandaram, que é uma oferta de aroma agradável, um sacrifício que Deus aceita e que lhe agrada.*

Paulo reitera sua preocupação com a consciência da igreja de Filipos. Ele quer que todos percebam sua gratidão pelo que fizeram, bem como sua incapacidade de cogitar usar o nome bendito de Cristo e a glória do evangelho para explorar pessoas. Ele declara estar plenamente satisfeito com a oferta recebida, que atendeu todas as suas necessidades de momento ou as exigências do amor. Na verdade, aquelas pessoas lhe deviam a vida, contudo, ele não quis usar essa exigência da gratidão para cobrar o que quer que fosse.

Ele reafirma o fato de que a missão da qual Epafrodito fora incumbido havia sido cumprida. Toda a mobilização da igreja alcançara sua meta: um santo que padecia numa prisão na capital do império foi devidamente socorrido por seus irmãos na fé. A igreja havia, portanto, se comportado como a comunidade dos que conheceram tanto o Deus de amor quanto o amor que deve reger a relação dos que fazem parte do seu reino.

Que violência praticada contra o mercenarismo religioso! Um pastor pedindo à igreja que cessasse as contribuições! Mas a parte mais linda da história não seria essa, mas sim Deus movendo uma igreja a ajudar um eminente ministro do evangelho que perdera sua liberdade por haver se tornado escravo de Cristo. E tudo isso porque é impossível que Deus abandone a quem o ama.

Como Deus via tudo o que havia acontecido? Cristãos pegando suas posses, botando-as nas mãos de um representante da igreja a fim de ajudar um homem que sofria em razão do seu compromisso com a causa do evangelho. A linguagem de Paulo, sacada do Antigo Testamento, é de levar às lágrimas. Ele declara que Deus, dos altos céus, olhava para toda aquela movimentação com profundo deleite. Aquilo tudo era como uma oferta queimada trazida ao templo de Jerusalém, cujo aroma chegava aos céus. O que havia ocorrido era aceitável e causava prazer no Senhor do cosmos.

Como não anelar por participar desse culto: fazer algo na terra que causa prazer no céu? Deus olhava para aquilo e dizia: "Eu os fiz para viverem assim". Toda expressão de misericórdia, todo serviço ao necessitado, toda a solidariedade entre irmãos na fé e toda disposição de abrir mão do que se tem a fim de socorrer a quem não tem causam deleite ao Deus vivo. Nisso consistia a alegria do apóstolo Paulo: "A igreja que plantei é uma igreja verdadeira, que demonstra a sua regeneração, união com Cristo e fé no evangelho, por meio do amor".

O teólogo João Calvino, pai da teologia reformada, à luz desse verso, desfere o seguinte golpe na concentração de riqueza: "Os altares nos quais os sacrifícios de nossos recursos devem ser apresentados são os pobres e os servos de Cristo. Ao negligenciarem estes, alguns esbanjam seus recursos com todo gênero de luxo, outros com deleite gastronômico, outros com vestuário imoderado, outros com casas gigantescas".[8]

Peço agora que você faça uma pequena pausa para orar. Peça a Deus que o ajude a entender o próximo versículo. Ele é santíssimo!

> **4.19** *E o meu Deus, segundo a sua riqueza em glória, há de suprir, em Cristo Jesus, tudo aquilo de que vocês precisam.*

Paulo amava a igreja de Filipos, que devia a sua existência ao seu trabalho missionário. Naqueles dias, seu coração estava tomado de gratidão aos seus membros em razão de terem se lembrado dele na prisão. Movido pelo anseio de comunicar uma palavra de esperança aos que tanto estimava, dirige a eles uma das promessas mais extraordinárias das Escrituras. Conhecer seu conteúdo é uma experiência libertadora.

Uma coisa é conhecer a teologia, outra é dizer *meu Deus*. Ninguém deveria dar descanso ao seu espírito enquanto não puder dizer "meu Deus". Para a imensa parcela da humanidade, dentro e fora da igreja, Deus é um tormento. Creem em Deus enquanto tremem, como os demônios. Sua crença sem conteúdo as faz dizer que a realidade última é Deus, que ele é a única explicação para a existência nua e crua das coisas e a forma como estão dispostas. Entretanto, seu conceito de Deus somente serve para fazer com que se lembrem dos seus deveres. Por não saberem acrescentar à palavra Deus a palavra evangelho, vivem sob o constante receio de serem julgadas e condenadas inapelavelmente.

Há aqueles que acreditam no melhor da doutrina. Estão familiarizados com os principais artigos de fé. Pode-se considerá-los apologistas habilidosos. Entretanto, eles nada sabem sobre o cristianismo experimental. Não têm a vida de Deus na alma. Em sua vida não há encanto, louvor e amor. O que o apóstolo quer dizer com *meu Deus*?

---

[8] João CALVINO, *Série Comentários Bíblicos: Gálatas, Efésios, Filipenses e Colossenses*, 495 (E-book Kindle).

Em primeiro lugar, que ele servia a um Deus que havia se revelado, distinto de todas as demais divindades cultuadas pelos adeptos das mais diferentes religiões. Ele podia dizer, na cidade pagã de Filipos, que o seu Deus em nada se assemelhava aos deuses pagãos. Em segundo lugar, Paulo falava sobre um Deus incompreensível, porém, conhecível. Não havia espaço na sua teologia para aquela humildade que diz não ser possível ouvir a voz de Deus. Em terceiro lugar, o Deus que o apóstolo cultuava era o principal fato da sua narrativa de vida. Ele não podia olhar para a sua existência sem levar em consideração a eleição eterna, a regeneração, o chamado eficaz, a conversão, a justificação, a adoção, a glorificação. Em quarto lugar, o Deus ao qual Paulo servia era o Deus das suas inconfundíveis experiências místicas, que tornavam a presença do seu Criador absolutamente real. Por fim, ao dizer *meu Deus*, ele falava sobre o Deus da providência, que jamais o abandonou. Você conhece Deus? Poder dizer "meu Deus" é a maior ambição da sua vida? Isso é evidente pela forma como usa o tempo?

O Deus do apóstolo Paulo é um Deus rico. Seu Deus é felicidade eterna em si mesmo. Ele é tudo o que gostaria de ser e faz tudo o que quer fazer. O Deus cristão tudo criou por força do seu transbordamento de felicidade. Deus não é alguém de quem devemos sentir pena. Ele não olha para este planeta do modo como olhamos. Nada lhe escapa ao controle. Todos os átomos lhe dizem amém.

Deus é rico para com o seu povo. Tudo o que carecemos ele pode nos dar abundante e graciosamente. O que precisamos na vida presente e na eternidade está dentro do âmbito da sua vontade soberana. O que seu amor deseja seu poder banca. Nada pode ameaçar a felicidade dos redimidos. Sua riqueza é gloriosa, visto que é ilimitada. É riqueza que comunica de modo infinitamente santo, sábio e justo tudo de que precisamos para glorificá-lo e nele ter prazer para todo o sempre.

Na teologia de Paulo, Deus é indissociável da pessoa do seu Filho Jesus Cristo. Por que você e eu não devemos nada temer? Porque ele é o nosso Deus, seus recursos são insondáveis e todas as suas promessas têm como sustentáculo o sangue de Jesus Cristo. Em Cristo, ele se obrigou a compartilhar da sua riqueza em glória com o seu povo. Nossa esperança não consiste em ele ser rico, mas no fato de que o seu pacto com o seu Filho o tornou eternamente comprometido em fazer o cálice dos seus eleitos transbordar.

Podemos, portanto, ser generosos. Dar dinheiro. Socorrer os necessitados com a espécie de misericórdia que nos leva a abrir mão do que é nosso. Quem serve a um Deus como esse só é pobre aos olhos dos homens. Somos herdeiros com Cristo de toda essa riqueza em glória. O evangelho nos oferece uma âncora de alma, que traz estabilidade à nossa vida, e nos liberta para o exercício do amor que doa.

> **4.20** *A nosso Deus e Pai seja a glória para todo o sempre. Amém!*

Assim se faz teologia, assim se prega, assim se vive. Como falar sobre Deus, meditar sobre Deus e pensar no que representamos para Deus sem o adorar na beleza da sua santidade? O verso anterior simplesmente o comoveu. Ele não conseguiu ir adiante sem declarar o seu amor.

Observemos que ele passa a falar no plural. Porque o "meu Deus" do verso 19 é aqui o *nosso Deus*. Não existem castas espirituais na igreja. Esse é o Deus de judeus e gentios reconciliados com o Criador por meio de Cristo. É difícil para você e eu mensurarmos o que significou para um judeu como Paulo fazer essa declaração. Ele está dizendo que os pagãos de Filipos convertidos à fé cristã pertenciam ao Deus de Abraão, Isaque e Jacó.

Paulo segue a teologia que aprendeu com Cristo. Os cristãos aprenderam com Cristo a chamar Deus de Pai. Pai é o nome cristão para Deus. A igreja não acredita em Deus, acredita no Pai. Pense em tudo o que essa verdade representa para a nossa existência. Nossa adoração é dirigida a um ser infinito em bondade, que nos tem como filhos e filhas.

Por ele ser quem é e ter feito pela igreja o que fez, Paulo é movido a convocar o universo a adorá-lo por toda a eternidade. Que anjos, arcanjos, querubins, homens e mulheres atribuam a ele a glória que lhe é devida. Como ele é imutável no seu ser e na sua perfeição, que essa adoração seja eterna. O amém era inevitável. Exigência moral, estética, metafísica.

> **4.21** *Saúdem cada um dos santos em Cristo Jesus. Os irmãos que estão comigo mandam saudações.*

Como essa saudação final nos ajuda a entender a vida das igrejas do primeiro século. A igreja é a comunhão em amor dos redimidos. É a comunidade dos santos, dos que foram separados por Deus a fim de viverem para sua glória e serviço. Vida, portanto, radicalmente oposta a que é vivida pelo homem natural. Não há santidade de vida, igreja ou salvação fora da união mística com Cristo. A igreja, portanto, é o corpo de Cristo. Não se pode estar nela sem que se esteja em Cristo. Por fim, a igreja é a comunidade dos irmãos.

Que diferença observamos entre a igreja do primeiro século e a dos nossos dias. Naquela não encontramos fixação com templo, ênfase em hierarquia eclesiástica, obsessão com cerimônias e ritos. No Novo Testamento, nos lembra Martyn Lloyd-Jones, a igreja é primariamente comunhão. Um lugar de intimidade e amor.[9]

4.22 *Todos os santos mandam saudações, especialmente os da casa de César.*

Continuamos perante um retrato da igreja do primeiro século, capaz de nos ajudar a entender a eclesiologia do Novo Testamento. A igreja verdadeira não pode ser identificada com nenhuma nação, o que torna o espírito nacionalista estranho ao cristianismo. Nós cristãos estamos mais próximos de cristãos de outras nacionalidades do que dos nossos compatriotas que não professam a fé em Cristo. A catolicidade ou universalidade é um dos atributos da verdadeira igreja, uma vez que a graça de Deus é poderosa para vencer barreiras culturais, étnicas e sociais.

Essa graça invencível é capaz de se manifestar onde menos se espera. Paulo menciona os irmãos *da casa de César*, gente, portanto, alcançada pelo evangelho num antro de corrupção, perversidade e injustiça. Cabe ao cristão, sendo assim, preservar sua identidade, não se deixar impressionar pelo excesso de conhecimento ou falta dele, nem pelo nível de devassidão em que se encontram aqueles a quem se deseja alcançar para Cristo. O que cabe à igreja é temer apenas a Deus e jamais deixar de dizer o que pensa por temor servil a quem considera culto, poderoso ou famoso.

Que colorido vemos na igreja da era apostólica. Quanta variedade. Como tudo isso contribuiu para o embelezamento do corpo de Cristo, para a comunhão de dons e talentos e para o testemunho perante o mundo em razão da visível vitória do amor fraternal sobre as barreiras que separam os homens.

Concluo pensando na obra da providência divina, que permitiu a perseguição contra a igreja de Filipos, levada a cabo pelos romanos. Enquanto isso, na capital do império, a graça invencível regenerava membros da casa de César. Imagine o que representou para a igreja de Filipos receber saudação da casa de César. Como é fascinante pertencer e servir à igreja, abrir-se para os surpreendentes avanços do reino de Cristo e ser canal da revelação do seu amor onde menos se esperava que pudesse ser compreendido.

4.23 *A graça do Senhor Jesus Cristo esteja com o espírito de vocês.*

Paulo termina a carta com as verdades que lhe eram mais caras. A graça e a pessoa de Jesus Cristo são os grandes temas com os quais a igreja se ocupa. O que distingue o cristianismo de todas as demais religiões é justamente

---

[9] Martyn LLOYD-JONES, *The Life of Joy and Peace: An Exposition of Phillipians*, p. 485.

essas duas doutrinas, que tratam ao mesmo tempo do amor divino e de uma pessoa divina. Não há igreja sem a proclamação do evangelho da graça e da pessoa bendita de Cristo.

Paulo está se despedindo de uma igreja que sofria perseguição por causa do seu radical compromisso com Cristo. Ele pede que cada cristão, como bom soldado de Cristo, permanecesse no seu posto, não aceitando jamais a hipótese de recuar. Preso em Roma, seu coração estava naquela pequena comunidade cristã na Macedônia.

A saudação final não se trata de mera formalidade. Paulo expressa seu principal desejo: que a graça trazida por Cristo estivesse com o espírito de cada crente da igreja de Filipos. O que isso significaria?

Primeiro, aqueles irmãos receberiam da parte de Cristo tudo o que seria necessário para que a igreja permanecesse unida, seu testemunho de vida a transformasse num luzeiro para a cidade, suas portas se mantivessem fechadas para os falsos obreiros, seu trabalho de evangelização não cessasse, sua forma de pensar reproduzisse a mentalidade de Cristo e seu coração fosse inundado pela alegria no Senhor.

Segundo, Paulo esperava por manifestações inconfundíveis do Cristo ressurreto, comunicando a todos os membros da igreja a mais profunda compreensão do seu favor imerecido, não levando em consideração as imperfeições que restavam.

Em último lugar, pelo fato dessa operação da graça se dar no espírito, na dimensão interior da vida de cada crente, no lugar de onde promanam suas afeições e deliberações, uma grande dose de autonomia em relação às circunstâncias da vida lhes seria proporcionada. Porque, se cada membro da igreja estivesse fortalecido no espírito, então suas escolhas, sentimentos e pensamentos seriam regulados por um coração decidido a servir e amar a Cristo.

Que essa graça, querido leitor, esteja também com o seu espírito a fim de que você conheça Cristo, ame Cristo, prove da alegria de Cristo e viva para a glória de Cristo, a ponto de poder dizer, "para mim o viver é Cristo e o morrer é lucro" (Fp 1.21). Se souber que essa obra da graça ocorreu na sua vida, serei eternamente grato ao meu Redentor.

Niterói, 24 de agosto de 2021.

BIBLIOGRAFIA

BARTH, Karl. *The Epistle to the Phillipians*. Richmond: John Knox Press, 1962.
BOICE, James. *Philippians: An Expositional Commentary*. Grand Rapids: Zondervan, 1972.
BRUCE, F. F. *Novo Comentário Bíblico: Filipenses*. São Paulo: Editora Vida, 1992.
CALVINO, João. *Série Comentários Bíblicos: Gálatas, Efésios, Filipenses e Colossenses*. São José dos Campos: Editora Fiel, 2010. (E-book Kindle)
CARSON, D. A. *Basics for Believers: An Exposition of Phillipians*. Grand Rapids: Baker, 1996.
FEE, Gordon. *Paul's Letter to the Philippians*. Grand Rapids: Eerdmans, 1995.
FREUD e PFISTER. *Cartas entre Freud e Pfister*. Viçosa: Ultimato Editora, 1998.
GREENE, Oliver B. *The Epistle of Paul the Apostle to the Phillipians*. Greenville: The Gospel Hour, 1973.
HASTINGS, Edward. *The Epistle to the Phillipians and The Epistle to the Colossians*. Grand Rapids: Baker, 1962.
HENDRIKSEN, William. *Filipenses: Comentario del Nuevo Testamento*. Grand Rapids: Subcomisión Literatura Cristiana, 1981.
LIGHTFOOT, J. B. *Philippians*. Wheaton: Crossway, 1994.
LLOYD-JONES, Martyn. *The Life of Joy and Peace: An Exposition of Phillipians*. Grand Rapids: Baker Books, 1999.
LUTERO, Martinho. *Obras selecionadas, Vol. 10 (Interpretação do Novo Testamento)*. São Leopoldo: Editora Sinodal; Canoas: ULBRA; Porto Alegre: Editora Concórdia, 2008.
MEYER, F. B. *Ciudadanos del Cielo*. Terrassa, Barcelona: Libros CLIE, 1984.
MICHAEL, J. Hugh. *The Epistle of Paul to the Phillipians*. New York: Harper and Brothers, 1927.
PLUMMER, Alfred. *A Commentary on Saint Paul's Epistle to the Philippians*. London: Robert Scott, 1919.
SHEDD, Russell P. *Alegrai-vos no Senhor: Uma exposição de Filipenses*. São Paulo: Vida Nova, 1984.
STOTT, John. *A mensagem de Atos*. São Paulo: ABU Editora, 1994.
VINCENT, Marvin. *Philippians and Philemon (International Critical Commentary)*. London: Bloomsbury Publishing, 2000. (E-book Kindle)

Compartilhe suas impressões de leitura, mencionando o título da obra, pelo e-mail
opiniao-do-leitor@mundocristao.com.br
ou por nossas redes sociais

Esta obra foi composta com tipografia Stix Two Text e Mr Eaves
e impressa em papel Ivory Cold 65 g/m² na Geográfica